RosettaStone®
Language Learning · Success

Curriculum Text

Spanish	Level 1

Español

TRS-ESP1-2.6

ISBN 1-883972-08-6

Printed in the United States of America

Fairfield Language Technologies
135 West Market Street
Harrisonburg, VA 22801 USA

Telephone: 540-432-6166 or 800-788-0822 in U.S. and Canada
Fax: 540-432-0953
E-mail: info@RosettaStone.com
Web site: www.RosettaStone.com

Contenido

TEXTO

1-01   Sustantivos y preposiciones

01 una niña
    un niño
    un perro
    un gato

02 un hombre
    una mujer
    un carro
    una avioneta

03 una pelota
    un caballo
    una avioneta
    un elefante

04 un gato y un carro
    una niña y una mujer
    un hombre y una mujer
    un hombre y un niño

05 un niño y un perro
    un niño y una avioneta
    una muchacha y un caballo
    una niña y un perro

06 una muchacha encima de un caballo
    un hombre encima de un caballo
    una pelota encima de un niño
    un niño encima de un caballo

07 un niño debajo de un avión
    un niño debajo de una pelota
    un muchacho debajo de una mesa
    un niño y un perro

08 un niño encima de una avioneta
    un niño debajo de un avión
    un muchacho encima de una mesa
    un muchacho debajo de una mesa

09 una niña en un carro
    una mujer en un carro
    un niño en un carro
    un niño y una niña en una barca

10 un niño y un perro
    un niño encima de una avioneta
    un niño debajo de un avión
    un niño dentro de una avioneta

1-02   Verbos: el tiempo presente progresivo

01 El niño está saltando.
    El caballo está saltando.
    La niña está saltando.
    El perro está saltando.

02 El niño está corriendo.
    La mujer está corriendo.
    La niña está corriendo.
    El caballo está corriendo.

03 La mujer está corriendo.
    La mujer está saltando.
    Las niñas están corriendo.
    Las niñas están saltando.

04 Las niñas están caminando.
    Las niñas están corriendo.
    El niño está saltando.
    El niño está caminando.

05 El hombre y la mujer están caminando.
    El hombre y la mujer están bailando.
    La mujer está caminando.
    La mujer está bailando.

06 El hombre está leyendo.
    La mujer está leyendo.
    El hombre está bailando.
    La mujer está saltando.

07 El hombre está siguiendo al niño.
    El hombre está cayendo.
    El niño está cayendo.
    Las niñas están siguiendo al niño.

08 El avión está volando.
    El hombre está corriendo.
    El hombre está saltando.
    El hombre está cayendo.

09 La mujer está nadando.
    El hombre está cayendo.
    El niño está cayendo.
    El niño está nadando.

10 El pez está nadando.
    El ave está volando.
    El toro está corriendo.
    El ave está nadando.

01 El pez es blanco. El carro es blanco. El carro es rojo. El pájaro es rojo.	01 tres dos seis cinco
02 La avioneta es blanca. La avioneta es amarilla. El carro es blanco. El carro es amarillo.	02 cuatro cinco y seis tres dos
03 El carro es rojo. El carro es amarillo. El carro es blanco. El carro es azul.	03 cinco y seis tres y cuatro cuatro y cinco cinco y cinco
04 El carro es azul. El carro es amarillo. El gato es negro. El carro es negro.	04 cuatro y cuatro tres, tres, tres cinco y cinco cuatro, cinco, seis
05 El carro amarillo es viejo. El carro rosado es viejo. El carro azul es nuevo. El carro rojo es nuevo.	05 cuatro, cinco, seis cinco, seis, siete seis, siete, ocho uno, dos, tres
06 un carro viejo un carro nuevo una casa vieja una casa nueva	06 uno, dos, tres uno, dos, tres, cuatro uno, dos, tres, cuatro, cinco uno, dos, tres, cuatro, cinco, seis
07 una mujer vieja una mujer joven una casa vieja una casa nueva	07 uno, dos, tres uno, dos, tres, cuatro, cinco uno, dos, tres, cuatro, cinco, seis, siete uno, dos, tres, cuatro, cinco, seis, siete, ocho
08 una mujer vieja una mujer joven un hombre viejo un hombre joven	08 dos uno, dos, tres, cuatro, cinco, seis, siete, ocho, nueve, cero tres cinco
09 La mujer vieja tiene pelo blanco. La niña tiene pelo negro. El hombre tiene pelo azul. El hombre tiene pelo rojo.	09 nueve cinco diez tres
10 La mujer tiene pelo largo. El hombre tiene pelo largo. La mujer tiene pelo corto. El hombre tiene pelo muy corto.	10 diez seis siete uno

01   una niña
unas niñas
un niño
unos niños

02   una flor
unas flores
un ojo
unos ojos

03   una mujer
unas mujeres
un hombre
unos hombres

04   un niño
unos niños
un perro
unos perros

05   un bebé
unos bebés
un huevo
unos huevos

06   Un niño está saltando.
Unos niños están saltando.
Una niña está corriendo.
Unas niñas están corriendo.

07   Un hombre está bailando.
Unos hombres están bailando.
Una mujer está cantando.
Unas mujeres están cantando.

08   un niño en una bicicleta
unos hombres en bicicleta
Un pájaro está volando.
Unos pájaros están volando.

09   La niña está sentada.
Los niños están sentados.
una bicicleta
unas bicicletas

10   El caballo está caminando.
Los caballos están caminando.
El carro es blanco.
Los carros son blancos.

01   Una muchacha está montando a caballo.
Dos hombres están montando a caballo.
Un hombre está andando en una motocicleta.
Dos niños están saltando.

02   Una niña está saltando.
Dos niñas están saltando.
cuatro niños
cuatro pelotas

03   el número tres
el número cuatro
el número uno
el número dos

04   el número dos
el número cuatro
el número cinco
el número seis

05   Son las dos en punto.
Son las cuatro en punto.
Son las seis en punto.
Son las tres en punto.

06   una ventana
tres ventanas
cuatro ventanas
cinco ventanas

07   un plato azul
un plato amarillo
Hay dos platos. Un plato es amarillo y un plato
es azul.
Hay tres platos. Un plato es anaranjado, un plato
es azul y un plato es amarillo.

08   un plato
dos platos
tres platos
diez platos

09   diez dedos
quince dedos
veinte dedos
treinta dedos

10   Son las cuatro en punto.
Son las cinco en punto.
Son las seis en punto.
Son las siete en punto.

01   ¿Es el pez blanco?
Sí, es blanco.

¿Es el carro blanco?
Sí, es blanco.

¿Es el carro rojo?
Sí, es rojo.

¿Es el pájaro rojo?
Sí, es rojo.

02   ¿Es la avioneta blanca?
Sí, es blanca.

¿Es la avioneta blanca?
No, es amarilla.

¿Es el carro amarillo?
No, es blanco.

¿Es el carro amarillo?
Sí, es amarillo.

03   ¿Es el carro rojo?
Sí, es rojo.

¿Es el carro rojo?
No, el carro no es rojo. El carro es amarillo.

¿Es el carro blanco?
Sí, lo es.

¿Es el carro blanco?
No, el carro no es blanco. El carro es azul.

04   ¿Es el carro azul?
Sí, es azul.

¿Es el carro azul?
No, no es azul. Es amarillo.

¿Es el gato blanco?
No, no es blanco. Es negro.

¿Es el carro negro?
No, el carro no es negro. El carro es rosado.

05   ¿Es viejo el carro verde?
Sí, el carro verde es viejo.

¿Es nuevo el carro rosado?
No, no es nuevo.

¿Es viejo el carro negro?
No, no es viejo. Es nuevo.

¿Es viejo el carro rojo?
No, no lo es.

06   ¿Es el carro viejo?
Sí, es viejo.

¿Es el carro viejo?
No, el carro no es viejo.

¿Hay un hombre encima de esta casa?
Sí.

¿Hay un hombre encima de esta casa?
No.

07   ¿Está corriendo la mujer?
Sí, está corriendo.

¿Está corriendo la mujer?
No, no está corriendo.

¿Están corriendo las mujeres?
Sí, están corriendo.

¿Están corriendo las mujeres?
No, no están corriendo.

08   ¿Está saltando el niño?
Sí, él está saltando.

¿Están saltando los niños?
Sí, están saltando.

¿Está saltando el niño?
No, no está saltando.

¿Están saltando los niños?
No, no están saltando.

09   ¿Está la mujer sentada?
Sí, está sentada.

¿Están las mujeres sentadas?
No, no están sentadas.

¿Están las mujeres sentadas?
Sí, están sentadas.

¿Está la mujer sentada?
No, no está sentada.

10   ¿Está comiendo él?
Sí, está comiendo.

¿Está comiendo ella?
Sí, está comiendo.

¿Está comiendo él?
No, no está comiendo.

¿Está comiendo ella?
No, no está comiendo.

Comidas, comiendo y bebiendo; complementos directos

La ropa, llevar ropa; complementos directos

01 fruta
leche
carne
pan

02 El hombre está comiendo.
El hombre está bebiendo.
La mujer está comiendo.
La mujer está bebiendo.

03 La mujer y la niña están bebiendo leche.
El hombre está bebiendo agua.
La niña está bebiendo leche.
La mujer está bebiendo leche.

04 El niño está comiendo pan.
El caballo está comiendo una zanahoria.
El hombre está comiendo.
El hombre está bebiendo.

05 El hombre está bebiendo jugo de naranja.
El hombre está bebiendo leche.
El hombre está bebiendo agua.
El niño está comiendo pan y la niña está
  bebiendo leche.

06 unas bananas amarillas
unas manzanas verdes y unas manzanas rojas
unos tomates rojos
queso

07 unas fresas rojas
unas uvas rojas
unas peras verdes
unas manzanas amarillas

08 Las fresas son un alimento. Son un tipo de
  comida.
El pan es un alimento. Es un tipo de comida.
Las pelotas no son un alimento. No son un tipo
  de comida.
Un sombrero no es un alimento. No es un tipo de
  comida.

09 Las bananas están en una cesta.
Los panes están en bolsas.
Las manzanas están en cajas.
Los tomates están en una cesta.

10 una mesa con comida
una mesa sin comida
un plato con comida
un plato sin comida

01 un sombrero blanco
un sombrero negro
unos sombreros negros
unos sombreros blancos

02 un sombrero negro y un sombrero marrón
unos sombreros grises
un sombrero morado
un sombrero blanco

03 La niña lleva una camiseta blanca.
La mujer lleva una camiseta azul.
La mujer lleva una blusa blanca.
La mujer lleva un sombrero negro.

04 El niño lleva un pantalón blanco.
Los hombres llevan jeans.
Los hombres llevan camisa oscura y pantalón
  oscuro.
La mujer lleva una camiseta blanca y unos jeans.

05 La mujer no lleva un abrigo.
Una mujer lleva una chaqueta de lluvia roja y
  una mujer lleva una chaqueta de lluvia morada.
Una mujer lleva una chaqueta de lluvia amarilla
  y una mujer lleva una chaqueta de lluvia azul.
La mujer lleva un abrigo negro.

06 Un niño lleva una camiseta azul y un niño lleva
  una camiseta roja.
Ambas mujeres llevan camiseta azul.
La mujer lleva una blusa blanca y una falda
  negra.
La mujer lleva una camiseta blanca y unos jeans.

07 El hombre y la mujer llevan traje de baño.
El hombre y la mujer no llevan traje de baño.
La mujer lleva anteojos.
La mujer no lleva anteojos.

08 La niña lleva un zapato.
La niña lleva dos zapatos.
El muchacho lleva un sombrero.
El muchacho lleva dos sombreros.

09 Las niñas llevan blusa blanca y falda negra.
Una niña lleva un vestido blanco y una lleva un
  vestido blanco y rojo.
Las niñas llevan vestido y sombrero.
Las niñas llevan pantalón negro.

10 La niña no lleva calcetines.
La niña lleva calcetines blancos.
El niño no lleva zapatos.
El niño lleva zapatos.

1-10   Quién, qué, dónde, cuál; palabras interrogativas

01   ¿Quién está leyendo?
La mujer está leyendo.

¿Quién está bailando?
El hombre está bailando.

¿Quién está nadando?
El niño está nadando.

¿Quién está corriendo?
El caballo está corriendo.

02   ¿Quién está sentado?
El niño está sentado.

¿Quién está comiendo?
El hombre está comiendo.

¿Quién está bebiendo leche?
La niña está bebiendo leche.

¿Quién está debajo de la mesa?
El muchacho está debajo de la mesa.

03   ¿Quién está comiendo una zanahoria?
El caballo está comiendo una zanahoria.

¿Quién está comiendo pan?
El niño está comiendo pan.

¿Qué está volando?
El avión está volando.

¿Qué está volando?
Un pájaro está volando.

04   ¿Qué llevan las mujeres?
Ellas llevan camiseta azul.

¿Qué llevan las mujeres?
Ellas llevan blusa blanca.

¿Qué es esto?
Fresas.

¿Qué es esto?
Pan.

05   ¿Dónde está el muchacho?
El muchacho está debajo de la mesa.

¿Dónde está el muchacho?
El muchacho está encima de la mesa.

¿Dónde está el hombre?
El hombre está sobre la casa vieja.

¿Dónde está el hombre?
El hombre está sobre la bicicleta.

06   ¿De qué color es este carro?
Este carro es rojo.

¿De qué color es este carro?
Este carro es amarillo.

¿Dónde está el carro azul?
Aquí está el carro azul.

¿Dónde está el carro blanco?
Aquí está el carro blanco.

07   ¿Dónde están las bananas?

¿Dónde está el queso?

¿Qué caballo está corriendo?
Este caballo está corriendo.

¿Qué caballo está saltando?
Este caballo está saltando.

08   ¿Cuál de los carros es azul?

¿Cuál de los carros es rojo?

¿Cuál de las mujeres lleva una camiseta azul?
Ambas mujeres llevan camiseta azul.

¿Cuál de los niños está bebiendo leche?
La niña está bebiendo leche.

09   ¿Quién tiene el pelo largo?
El hombre tiene el pelo largo.

¿Qué está haciendo el niño?
Él está nadando.

¿Dónde está el niño?
El niño está sobre un caballo.

¿Cuál de los niños está comiendo pan?
El niño está comiendo pan.

10   ¿Qué están haciendo la mujer y la niña?
Ellas están bebiendo leche.

¿Dónde están los niños?
Ellos están en una barca.

¿Cuál de los hombres tiene el pelo azul?

¿Quién tiene el pelo rojo?

01   un niño encima de una avioneta
un niño debajo de un avión
un muchacho encima de una mesa
un muchacho debajo de una mesa

02   Las niñas están caminando.
Las niñas están corriendo.
El niño está saltando.
El niño está caminando.

03   La mujer tiene pelo largo.
El hombre tiene pelo largo.
La mujer tiene pelo corto.
El hombre tiene pelo muy corto.

04   cuatro, cinco, seis
cinco, seis, siete
seis, siete, ocho
uno, dos, tres

05   El caballo está caminando.
Los caballos están caminando.
El carro es blanco.
Los carros son blancos.

06   Son las dos en punto.
Son las cuatro en punto.
Son las seis en punto.
Son las tres en punto.

07   ¿Es viejo el carro verde?
Sí, el carro verde es viejo.

¿Es nuevo el carro rosado?
No, no es nuevo.

¿Es viejo el carro negro?
No, no es viejo. Es nuevo.

¿Es viejo el carro rojo?
No, no lo es.

08   Las bananas están en una cesta.
Los panes están en bolsas.
Las manzanas están en cajas.
Los tomates están en una cesta.

09   Las niñas llevan blusa blanca y falda negra.
Una niña lleva un vestido blanco y una lleva un
   vestido blanco y rojo.
Las niñas llevan vestido y sombrero.
Las niñas llevan pantalón negro.

10   ¿Qué llevan las mujeres?
Ellas llevan camiseta azul.

¿Qué llevan las mujeres?
Ellas llevan blusa blanca.

¿Qué es esto?
Fresas.

¿Qué es esto?
Pan.

2-01   Más verbos: el presente progresivo

01   El niño está tirando la pelota.
      La mujer está tirando la pelota.
      El hombre está tirando la pelota.
      El hombre está tirando al niño.

02   La mujer está agarrando la pelota amarilla.
      El hombre está tirando la pelota.
      La mujer está agarrando la pelota blanca.
      El niño está agarrando el rastrillo.

03   El niño está tirando la pelota.
      El niño está agarrando la pelota.
      El muchacho de blanco está pateando la pelota.
      El muchacho de rojo está pateando la pelota.

04   La muchacha está montando a caballo.
      El niño está andando en bicicleta.
      La muchacha está saltando.
      El niño está corriendo.

05   El niño está sonriendo.
      El niño está bebiendo.
      La mujer está sentada.
      La mujer está corriendo.

06   La mujer está sonriendo.
      La mujer está señalando.
      La mujer está leyendo.
      La mujer está hablando por teléfono.

07   La niña está riéndose.
      El hombre está riéndose.
      La niña está escribiendo.
      El hombre está andando en bicicleta.

08   El muchacho está pateando.
      El toro está pateando.
      El niño está sonriendo.
      El toro está corriendo.

09   La niña está acostada.
      La niña está corriendo.
      La niña está riéndose.
      La niña está sonriendo.

10   Los pájaros están volando.
      Los patos están nadando.
      Los patos están caminando.
      El pájaro está volando.

2-02   Personas y animales; el pronombre relativo "que"

01   Él es un niño.
      Ella es una niña.
      Él es un hombre.
      Ella es una mujer.

02   Él es un niño.
      Ella es una niña.
      El hombre es un adulto.
      La mujer es una adulta.

03   dos adultas
      un adulto y un niño
      dos niños
      tres niños

04   una adulta y dos niñas
      dos adultos
      tres adultos
      dos niños

05   Un perro es un animal.
      Un pez es un animal.
      Una niña es una persona.
      Una mujer es una persona.

06   Un perro no es una persona. Un perro es un
      animal.
      Un pez no es una persona. Un pez es un animal.
      Una niña no es una adulta.
      Una mujer no es una niña. Una mujer es una
      adulta.

07   una niña y un animal
      dos adultos y un niño
      dos adultos y dos animales
      un animal

08   una persona y un animal
      tres personas
      dos personas y dos animales
      un animal

09   una persona que no es un hombre
      una persona que no es una mujer
      un animal que no es un caballo
      un animal que no es un elefante

10   una persona que no es un niño
      una persona que no es un adulto
      un animal que no es un gato
      un animal que no es un perro

2-03   Grande y pequeño; sustantivos y adjetivos descriptivos

01 un carro grande
un hombre con un pescado grande
un hombre con un sombrero grande
un hombre con una herramienta grande

02 un carro pequeño
un caballo pequeño
una tienda de campaña pequeña
una pelota grande y una pelota pequeña

03 un número dos grande
un número dos pequeño
un número uno grande
un número uno pequeño

04 un caballo grande
un caballo pequeño
un paraguas grande
un paraguas pequeño

05 un animal pequeño
un animal grande
una persona pequeña
una persona grande

06 una caja grande
un barco grande
una caja pequeña
un barco pequeño

07 un televisor grande
un camión grande
un sombrero pequeño
un sombrero grande

08 un sofá grande
un sofá pequeño
un carro pequeño
un carro grande

09 una pelota grande
una rueda grande y una rueda pequeña
una rueda grande
una pelota pequeña

10 una rueda blanca grande
una rueda negra grande
una rueda azul grande
una rueda grande y una rueda pequeña

2-04   Formas y colores; adjetivos descriptivos: comparativos

01 un círculo grande
un círculo pequeño
un cuadrado grande
un cuadrado pequeño

02 El círculo rojo es más grande que el círculo azul.
El círculo azul es más grande que el círculo rojo.
El cuadrado es más grande que el círculo.
El círculo es más grande que el cuadrado.

03 El círculo azul es más pequeño que el círculo rojo.
El círculo rojo es más pequeño que el círculo azul.
El círculo es más pequeño que el cuadrado.
El cuadrado es más pequeño que el círculo.

04 El círculo más grande es rojo.
El círculo más grande es azul.
El círculo más grande es amarillo.
El círculo más grande es negro.

05 El cuadrado más pequeño es rojo.
El cuadrado más pequeño es azul.
El cuadrado más pequeño es amarillo.
El cuadrado más pequeño es blanco.

06 un rectángulo azul
un rectángulo rojo
un rectángulo amarillo
un rectángulo blanco

07 un rectángulo grande
un rectángulo pequeño
un círculo rojo
un círculo verde

08 un rectángulo largo
un rectángulo corto
una mujer con pelo largo
una mujer con pelo corto

09 El rectángulo verde es más largo que el rectángulo amarillo.
El rectángulo amarillo es más largo que el rectángulo verde.
El círculo rojo es más grande que el cuadrado rojo.
El cuadrado rojo es más grande que el círculo rojo.

10 El rectángulo amarillo es más corto que el rectángulo verde.
El rectángulo verde es más corto que el rectángulo amarillo.
El triángulo amarillo es más pequeño que el triángulo verde.
El triángulo verde es más pequeño que el triángulo amarillo.

2-05   La izquierda y la derecha; el artículo posesivo "su"

01   Dos pelotas amarillas están en su mano derecha.
Una pelota amarilla está en su mano izquierda.
Una pelota amarilla está en su mano derecha.
Dos pelotas amarillas están en su mano
izquierda.

02   El vaso está en la mano derecha de la mujer.
La pluma está en la mano derecha de la mujer.
El papel está en su mano izquierda.
La mujer tiene dos pelotas en su mano izquierda
y dos pelotas en su mano derecha.
La pelota está en la mano derecha de la mujer.

03   ¿Dónde está la pelota? La pelota está en su mano
izquierda.
¿Dónde está la pelota? La pelota está en su mano
derecha.
¿Dónde está el sombrero? La muchacha está
sosteniendo el sombrero en su mano derecha.
¿Dónde está el sombrero? La muchacha está
sosteniendo el sombrero en su mano izquierda.

04   La mujer sostiene el teléfono con su mano
izquierda.
La mujer sostiene el teléfono con su mano
derecha.
La muchacha tiene algo en su mano derecha.
La muchacha tiene algo en su mano izquierda.

05   Una mujer está señalando. Ella está señalando
con su mano derecha.
Una mujer está señalando. Ella está señalando
con su mano izquierda.
Ambas mujeres están señalando. Una está
señalando con su mano derecha y la otra con su
mano izquierda.
Ninguna mujer está señalando.

06   El micrófono está en la mano derecha del
cantante.
El micrófono está en la mano izquierda de la
cantante.
El hombre tiene una guitarra en la mano derecha
y una en la mano izquierda.
El hombre está tocando la guitarra.

07   No gire a la izquierda
No gire a la derecha
No estacione
No gire en U

08   El reloj es redondo.
El reloj es cuadrado.
La ventana es cuadrada.
La ventana es redonda.

09   La señal es rectangular.
La señal es redonda.
La señal es cuadrada.
La señal no es rectangular, redonda, ni cuadrada.

10   Aviso, canguros
Aviso, vacas
Aviso, niños
Aviso, venados

2-06 La negación de los verbos

01 La mujer está corriendo.
La mujer no está corriendo.
Este hombre tiene pelo.
Este hombre no tiene pelo.

02 La niña está bebiendo.
La niña no está bebiendo.
Este hombre lleva un casco.
Este hombre no lleva un casco.

03 Esta mujer lleva un sombrero blanco.
Esta mujer lleva un sombrero negro.
El muchacho lleva un sombrero blanco.
El muchacho lleva un sombrero negro.

04 Esta mujer no lleva un sombrero negro. Ella
lleva un sombrero blanco.
Esta mujer no lleva un sombrero blanco. Ella
lleva un sombrero negro.
El muchacho no lleva un sombrero negro. El
muchacho lleva un sombrero blanco.
El muchacho no lleva un sombrero blanco. El
muchacho lleva un sombrero negro.

05 Esta mujer no lleva un sombrero negro.
Esta mujer no lleva un sombrero blanco.
El muchacho no lleva un sombrero negro.
El muchacho no lleva un sombrero blanco.

06 Este avión está volando.
Este avión no está volando.
Los niños están saltando.
Los niños no están saltando.

07 Este niño no está nadando. Él está sentado en el
avión.
Este niño no está sentado en el avión. Él está
nadando.
Esta muchacha no está caminando. Ella está
montando a caballo.
Esta muchacha no está montando a caballo. Ella
está caminando.

08 Este niño no está nadando.
Este niño no está sentado en el avión.
Esta muchacha no está caminando.
Esta muchacha no está montando a caballo.

09 La mujer está usando el teléfono.
La niña está usando el teléfono.
La mujer está señalando.
Esta mujer no está usando el teléfono y no está
señalando.

10 La mujer no está usando el teléfono.
La mujer no está señalando.
El hombre está andando en la bicicleta.
El hombre no está andando en la bicicleta.

2-07 Sujetos compuestos

01 El hombre y la mujer están bailando.
Los hombres y las mujeres están bailando.
Los hombres están bailando.
Las mujeres están bailando.

02 El hombre está sentado en la bicicleta y el niño
está sentado encima de la cerca.
El hombre y el niño están sentados en la
bicicleta, pero no están andando en la bicicleta.
El hombre y el niño están andando en la
bicicleta.
El hombre y la mujer están andando en las
bicicletas.

03 El niño está sentado en el suelo.
El niño y la niña están sentados en el suelo.
El niño está acostado en el suelo.
La mujer está acostada en el suelo.

04 Las niñas y el niño están corriendo.
Las niñas están paradas encima de la mesa y los
niños están parados en el suelo.
Los niños y las niñas están parados encima de la
mesa.
Un niño y una niña están en el suelo y una niña
está parada encima de la mesa.

05 La mujer y el perro están caminando.
El hombre y la mujer están sentados.
El hombre y la mujer están caminando.
El hombre y los niños están caminando.

06 El hombre y el niño están en el avión.
La mujer está caminando y el hombre está
andando en la bicicleta.
Los niños y las niñas están saltando de la mesa.
Los niños y las niñas están parados encima de la
mesa.

07 La mujer y el niño tienen una pelota encima de
la cabeza.
El hombre y el niño tienen una pelota encima de
la cabeza.
La mujer y el niño están sentados en sillas.
El hombre y el niño están sentados.

08 Los hombres y la mujer están sentados en el
carro.
El hombre y la mujer están sentados en el carro.
El hombre, la niña y el bebé están sentados en el
tractor.
El hombre y el niño están sentados en el tractor.

09 Los hombres y las mujeres están parados.
Las mujeres están paradas y los hombres están
  sentados.
Las mujeres y un hombre están parados y un
  hombre está sentado.
Los hombres y una mujer están sentados y una
  mujer está parada.

10 El hombre y la mujer están parados encima del
  muro.
El hombre y las mujeres están parados enfrente
  del muro.
Las mujeres están paradas encima del muro.
Las mujeres están paradas enfrente del muro.

01 El hombre está en el camión.
Las bananas están en la cesta.
La gente está en la canoa.
La gente no está en la canoa.

02 El niño está encima de la cerca y el hombre está
  encima de la bicicleta.
El sombrero está encima del niño.
Los niños están encima de la mesa.
La pelota está encima del niño.

03 El niño está encima de la bicicleta.
El niño está al lado de la bicicleta.
Este hombre está encima de un caballo.
Este hombre está al lado de un caballo.

04 El burro está debajo del hombre.
El burro no está debajo del hombre.
El caramelo está debajo del estante.
Los caramelos están en la mano del hombre.

05 Este niño está detrás del árbol.
Este niño está enfrente del árbol.
Este hombre está detrás de un carro.
Este hombre está enfrente de un carro.

06 Las dos vasijas están una al lado de la otra.
La taza está encima del plato.
El número cinco está entre el uno y el cero.
La vasija mediana está entre la vasija grande y la
  vasija pequeña.

07 El hombre está al lado de dos mujeres.
El hombre está entre dos mujeres.
El perro está entre dos personas.
El perro está al lado de dos personas.

08 dos personas con anteojos
dos personas sin anteojos
un niño con un palo
un niño sin palo

09 El avión está en el suelo.
El avión está por encima del suelo.
Los peces están alrededor del buzo.
Las sillas están alrededor de la mesa.

10 El hombre está detrás de la bicicleta.
El hombre está al lado de la bicicleta.
La bicicleta está al lado del carro.
La bicicleta está detrás del carro.

2-09   La cabeza y la cara; posesión con "de"

01 un ojo
   una nariz
   una boca
   una cara

02 dos pies
   una oreja
   El hombre está tocando la oreja del caballo.
   dos patas de elefante

03 una cabeza de mujer
   una mano
   una cabeza de hombre
   manos y pies

04 tres manos
   cuatro manos
   cuatro brazos
   tres brazos

05 Las manos del hombre están encima de sus
    rodillas.
   El hombre tiene las manos en la cara.
   Las manos del hombre están encima de la mesa.
   Una mano está en la cara del hombre y la otra
    está en el codo.

06 Los brazos de la mujer están encima de sus
    rodillas.
   La mano del hombre está encima de su cabeza.
   Los codos del joven están sobre la mesa.
   Las manos del hombre están encima de la mesa.

07 dos ojos y una nariz
   una nariz y una boca
   una cara
   una oreja

08 La niña se lleva el vaso a la boca.
   La mujer se lleva el vaso a la boca.
   Este joven tiene comida en la boca.
   Este joven no tiene comida en la boca.

09 Él se está tocando la nariz.
   Él se está tocando la boca.
   Ella se está tocando el ojo.
   Ella se está tocando la barbilla.

10 La mujer se está cepillando el pelo.
   La mujer está cepillando el pelo de la niña.
   La mujer se está peinando.
   La mujer está peinando a la niña.

2-10   Verbos: el presente perfecto y el futuro con "ir a"

01 La mujer está saltando.
   La mujer ha saltado.
   El caballo está saltando.
   El caballo ha saltado.

02 El niño está cayendo.
   El niño ha caído.
   El vaquero está cayendo.
   El vaquero ha caído.

03 La niña está cortando el papel.
   La niña ha cortado el papel.
   El niño está saltando al agua.
   El niño ha saltado al agua.

04 El caballo va a saltar.
   El niño va a saltar.
   El caballo está saltando.
   El caballo ha saltado.

05 La niña va a cortar el papel.
   La niña está cortando el papel.
   La niña ha cortado el papel.
   Esta niña está saltando.

06 El niño va a saltar al agua.
   El niño está saltando al agua.
   El niño ha saltado al agua.
   Estos niños están saltando al agua.

07 La jinete va a caer.
   La jinete está cayendo.
   La jinete ha caído.
   El niño está cayendo.

08 Las niñas no van a saltar. El niño va a saltar.
   Las niñas no están saltando. El niño está
    saltando.
   Las niñas no han saltado. El niño ha saltado.
   El niño y las niñas están saltando.

09 El hombre va a beber la leche.
   El hombre está bebiendo la leche.
   El hombre ha bebido la leche.
   El niño va a comer el pan.

10 El niño va a comer el pan.
   El niño está comiendo el pan.
   El niño ha comido pan.
   El niño lleva un sombrero.

01 La mujer está sonriendo.
La mujer está señalando.
La mujer está leyendo.
La mujer está hablando por teléfono.

02 una persona que no es un niño
una persona que no es un adulto
un animal que no es un gato
un animal que no es un perro

03 una caja grande
un barco grande
una caja pequeña
un barco pequeño

04 El círculo azul es más pequeño que el círculo
rojo.
El círculo rojo es más pequeño que el círculo
azul.
El círculo es más pequeño que el cuadrado.
El cuadrado es más pequeño que el círculo.

05 Una mujer está señalando. Ella está señalando
con su mano derecha.
Una mujer está señalando. Ella está señalando
con su mano izquierda.
Ambas mujeres están señalando. Una está
señalando con su mano derecha y la otra con su
mano izquierda.
Ninguna mujer está señalando.

06 La mujer está usando el teléfono.
La niña está usando el teléfono.
La mujer está señalando.
Esta mujer no está usando el teléfono y no está
señalando.

07 Los hombres y las mujeres están parados.
Las mujeres están paradas y los hombres están
sentados.
Las mujeres y un hombre están parados y un
hombre está sentado.
Los hombres y una mujer están sentados y una
mujer está parada.

08 El hombre está al lado de dos mujeres.
El hombre está entre dos mujeres.
El perro está entre dos personas.
El perro está al lado de dos personas.

09 Él se está tocando la nariz.
Él se está tocando la boca.
Ella se está tocando el ojo.
Ella se está tocando la barbilla.

10 Las niñas no van a saltar. El niño va a saltar.
Las niñas no están saltando. El niño está
saltando.
Las niñas no han saltado. El niño ha saltado.
El niño y las niñas están saltando.

3-01 Descripciones de personas: adjetivos descriptivos

01 una mujer mayor
una mujer joven
un hombre joven
un hombre mayor

02 un grupo de bailarinas
dos bailarines
un grupo de corredores
dos corredoras

03 Este hombre joven tiene el pelo corto.
Este hombre joven tiene el pelo largo.
Las dos mujeres jóvenes tienen el pelo largo.
Una mujer joven tiene el pelo largo y una mujer
joven tiene el pelo corto.

04 ¿Quién tiene el pelo negro y corto?
¿Quién tiene el pelo largo y rubio?
¿Quién tiene el pelo largo y castaño?
¿Quién es calvo?

05 Esta mujer joven tiene el pelo rizado.
Este hombre joven tiene el pelo rizado.
Esta mujer joven tiene el pelo lacio.
Este hombre joven tiene el pelo lacio.

06 ¿Quién tiene el pelo negro, corto y lacio?
¿Quién tiene el pelo negro, largo y rizado?
¿Quién tiene el pelo negro, corto y rizado?
¿Quién tiene el pelo negro, largo y lacio?

07 El hombre de la derecha es gordo. El hombre de
la izquierda es delgado.
Las mujeres son delgadas.
Las mujeres son gordas.
El hombre de la izquierda es gordo. El hombre
de la derecha es delgado.

08 El payaso de la izquierda es bajo. El payaso de
la derecha es alto.
El payaso de la izquierda es alto. El payaso de la
derecha es bajo.
La mujer de rojo es baja.
La mujer de rojo es alta.

09 ¿Qué hombre alto lleva anteojos?
¿Qué hombre alto no lleva anteojos?
¿Qué persona baja no lleva anteojos?
¿Qué persona baja lleva anteojos?

10 La mujer tiene el pelo negro.
La mujer tiene el pelo rubio y lacio.
La mujer tiene el pelo rubio y rizado.
La mujer tiene el pelo canoso.

3-02 Cantidades y comparaciones de cantidades

01 muchos muchachos
un niño
muchos globos
unos pocos globos

02 muchos sombreros
un sombrero
muchos paraguas
un paraguas

03 un pan
muchos panes
dos panes
nada de pan

04 un vaquero con un caballo
un vaquero sin caballo
dos vaqueros con varios caballos
muchos sombreros de vaquero y ningún vaquero

05 ¿Cuántas monedas hay? Hay muchas monedas.
¿Cuántas canicas hay? Hay una canica.
¿Cuántas canicas hay? Hay unas pocas canicas.
¿Cuántas canicas hay? Hay muchas canicas.

06 muchos tomates y unas pocas bananas
muchas manzanas y ninguna banana
muchos tomates y ninguna banana
muchas bananas y ninguna manzana

07 Hay más sillas que mesas.
Hay más ómnibuses que carros.
Hay más tomates que bananas.
Hay el mismo número de hombres que de
mujeres.

08 Hay más personas que caballos.
Hay más caballos que personas.
Hay tantos paraguas como personas.
Hay más personas que paraguas.

09 Hay menos caballos que personas.
Hay menos personas que caballos.
Hay menos paraguas que personas.
Hay tantos caballos como personas.

10 Hay el mismo número de niñas que de niños.
Hay menos niñas que niños.
Hay más niñas que niños.
No hay ningún niño y ninguna niña.

01   El hombre lleva un suéter azul.
       Las niñas llevan vestido.
       El niño lleva un suéter rojo.
       La mujer lleva un suéter morado.

02   La mujer lleva un suéter negro.
       La mujer lleva un pantalón negro.
       El muchacho lleva una camiseta azul.
       El niño lleva un pantalón azul.

03   dos zapatos
       un zapato
       dos calcetines
       un calcetín

04   Ella lleva un suéter rojo y blanco.
       Ella lleva una camiseta morada.
       Él lleva un suéter.
       Él no lleva un suéter.

05   Ella lleva un suéter rojo y blanco y unos jeans.
       La mujer lleva un vestido rojo.
       La mujer lleva un abrigo rojo.
       Ella lleva una falda roja.

06   Él lleva un pantalón corto negro y una camisa blanca.
       Una persona lleva una camiseta amarilla y la otra persona lleva una camiseta roja.
       Una mujer lleva un vestido amarillo y otra mujer lleva un vestido rojo.
       Ella no lleva nada.

07   Ella lleva un vestido.
       Ella lleva un pantalón.
       Ella lleva un pantalón corto.
       Ella lleva una falda.

08   Él lleva una camiseta azul.
       Él lleva un pantalón azul.
       Él lleva un suéter azul.
       Él lleva una chaqueta azul.

09   Él se está poniendo un calcetín.
       Él se está poniendo un zapato.
       Él se está poniendo una camisa.
       Él se está poniendo un pantalón.

10   El payaso lleva un pantalón.
       El payaso se está poniendo un pantalón.
       El hombre con anteojos lleva un suéter.
       El hombre con anteojos se está poniendo un suéter.

01   El muchacho está sentado a la mesa.
       El muchacho está debajo de la mesa.
       Los niños están parados encima de la mesa.
       Los niños están saltando a la soga.

02   ¿Quién está corriendo? Los hombres están corriendo.
       ¿Quién está sentado? El niño está sentado.
       ¿Quién está corriendo? Las niñas están corriendo.
       ¿Quién está saltando? Los niños están saltando.

03   ¿Cuántos niños están saltando? Tres niños están saltando.
       ¿Cuántos niños están parados? Tres niños están parados.
       ¿Cuántos niños están saltando? Cuatro niños están saltando.
       ¿Cuántos niños están parados encima de la mesa? Una niña.

04   ¿Cuántas niñas llevan blusa blanca? Una.
       ¿Cuántas niñas llevan blusa blanca? Dos.
       ¿Cuántos niños están en el suelo? Un niño.
       ¿Cuántos niños están en el suelo? Dos.

05   La niña está encima de la mesa. Está saltando a la soga.
       Tres niños están jugando. Están jugando a saltar a la soga.
       Los niños están encima de la mesa. Ellos no están jugando a saltar a la soga.
       El niño está corriendo. Él no está saltando a la soga.

06   La niña encima de la mesa está saltando a la soga.
       El niño está girando la soga y la niña está saltando.
       El niño que no está saltando a la soga está corriendo.
       El niño que no está corriendo está saltando a la soga.

07   Este gato está afuera.
       Este gato está adentro.
       Estas flores están afuera.
       Estas flores están adentro.

08   Esto es el exterior de una casa.
       Esto es el interior de una casa.
       Esto es el exterior de una iglesia.
       Esto es el interior de una iglesia.

09 El niño está acostado afuera.
El niño está acostado adentro.
Esto es el exterior del edificio.
Esto es el interior del edificio.

10 ¿Qué niño está adentro?
¿Qué niño está afuera?
¿Qué niños están afuera?
¿Qué niños están adentro?

01 ¿De qué color es el huevo? Es azul.
¿De qué color es el huevo? Es amarillo.
¿De qué color es el huevo? Es rojo.
¿De qué color es el huevo? Es rosado.

02 ¿Qué caballo está cepillando la niña? El caballo
marrón.
¿Cuál es el caballo blanco?
¿Qué caballo está comiendo? El caballo gris está
comiendo.
¿Cuál es el caballo negro?

03 un perro negro y blanco
un gato negro y blanco
un perro marrón
un gato blanco y marrón

04 una hierba verde y una gorra verde
unas flores amarillas
una camiseta roja
un edificio blanco

05 El fondo es amarillo.
El fondo es morado.
El fondo es azul.
El fondo es rojo.

06 agua azul
anaranjado y amarillo
amarillo y negro
hierba verde

07 dos flores rojas
dos flores blancas y amarillas
una flor rosada, una roja y una amarilla
flores rosadas

08 tres
siete
nueve
cuatro

09 diez
nueve
cinco pelotas
seis pelotas

10 una pelota
dos pelotas
ocho dedos
cinco

3-06 Animales; real y no real

01 Dos peces grises están nadando.
Un pez gris está nadando.
Un perro blanco está caminando.
Un gato está caminando.

02 un canguro
un rebaño de cabras
un rebaño de vacas
Dos vacas están corriendo.

03 muchas ovejas
una tortuga
un león
un cisne negro

04 un cisne blanco
El cisne está sentado.
una jirafa
Un pájaro está volando.

05 dos cerdos
un oso
dos vacas
un tigre

06 una oveja
un elefante
El camello está parado en tres patas.
El camello está parado en cuatro patas.

07 Este caballo no es real.
Este caballo es real.
Este pájaro no es real.
Este pájaro es real.

08 Estas dos vacas no son reales.
Estas dos vacas son reales.
Este caballo es real.
Un caballo de balancín no es un caballo real.

09 ¿Qué gato es real?
¿Qué gato no es real?
¿Qué oveja no es real?
¿Qué oveja es real?

10 El tigre blanco está caminando.
El tigre blanco está acostado.
El tigre blanco está trepando.
un dragón

3-07 Adjetivos descriptivos: condiciones humanas

01 La mujer tiene hambre.
El hombre tiene hambre.
La mujer está llena.
El hombre está lleno.

02 Ellos tienen frío.
Ellos tienen calor.
Él tiene frío.
Él tiene calor.

03 Ella está cansada.
Ella no está cansada.
Ellos están cansados.
Ellos no están cansados.

04 Él es fuerte.
Él es débil.
Ellos no están cansados.
Ellos tienen calor y están cansados.

05 El hombre está enfermo.
El hombre está sano.
El pájaro es hermoso.
El pájaro es feo.

06 El hombre no está lleno.
El hombre no tiene hambre.
La mujer no está llena.
La mujer no tiene hambre.

07 El niño y el perro están contentos.
El niño y el perro están tristes.
El hombre está contento.
La mujer está triste.

08 Ellos están cansados.
Ella está cansada. Él no está cansado.
Él está cansado. Ellos no están cansados.
Él está cansado. Ella no está cansada.

09 Él está enfermo.
Él tiene sed.
Él tiene frío.
Él es rico.

10 Alguien tiene sed.
Alguien tiene hambre.
Estas personas no tienen calor.
Estas personas tienen calor y están cansadas.

3-08 Profesiones y condiciones humanas: adjetivos descriptivos

01 un doctor
una enfermera
un mecánico
una estudiante

02 un policía
un dentista
un carpintero
una científica

03 una secretaria
un cocinero
una maestra
un camarero

04 Él está avergonzado.
Él tiene dolor.
Él tiene miedo.
Él está enfermo.

05 El hombre no tiene calor.
El hombre no tiene frío.
El hombre tiene miedo.
El hombre es un doctor.

06 El hombre está orgulloso de su hijo.
El hombre está orgulloso de su carro.
El hombre es delgado.
El hombre es gordo.

07 un banco
una estación de policía
Este hombre es rico.
Este hombre está cogiendo dinero en un banco.

08 Él tiene dolor.
Él está cocinando.
Ella está cocinando.
Él está avergonzado.

09 La enfermera está cuidando del hombre.
El doctor está cuidando del hombre.
El mecánico está reparando el carro.
El dentista está trabajando en los dientes del
hombre.

10 El panadero está haciendo pan.
La secretaria está escribiendo a máquina.
La maestra está enseñando a los niños.
Los estudiantes están leyendo.

3-09 Partes del cuerpo y dibujos

01 un brazo
dos brazos
tres brazos
cuatro brazos

02 ¿Hay seis dedos? No, hay cuatro dedos.
¿Hay tres brazos? No, hay cuatro brazos.
¿Hay cuatro patas? Sí, hay cuatro.
¿Hay seis dedos? No, hay cinco.

03 las patas de un caballo
los brazos de una persona
las patas de un elefante
las piernas de una persona

04 Su cabeza está sobre sus brazos.
Sus manos están sobre sus rodillas.
Su mano está sobre su brazo.
Sus manos están cubriendo sus ojos.

05 El sombrero está sobre la cabeza.
El sombrero está en la pata.
El sombrero está en la mano.
El sombrero está en la boca.

06 Estas flores son de verdad.
Ésta es una pintura de flores.
Esta mujer es de verdad.
Ésta es una pintura de una mujer.

07 un hombre de verdad
una pintura de un hombre
una estatua de un hombre
un conejo de verdad

08 Las pinturas están en la pared.
Las pinturas están en el suelo.
La pintura está en la pared.
Una pintura está en el suelo.

09 Hay un dibujo de gatos en la camiseta.
Hay un dibujo de un oso en la camiseta.
Hay un dibujo de una cara sonriente en la
camiseta.
No hay ningún dibujo en la camiseta.

10 ¿Cuál de los hombres a caballo es de verdad?
¿Cuál de los hombres a caballo es una estatua?
¿Qué cabeza no es de verdad?
¿Qué cabeza es de verdad?

01   cinco
       diez
       quince
       veinte

02   Son las dos en punto.
       Son las cuatro en punto.
       Son las seis en punto.
       Son las ocho en punto.

03   Son las tres y media.
       Son las cinco y media.
       Son las siete y media.
       Son las nueve y media.

04   Son las seis en punto.
       Son las seis y media.
       Son las siete en punto.
       Son las siete y media.

05   Son las dos en punto.
       Son las dos y quince.
       Son las dos y media.
       Son las tres menos cuarto.

06   Son las ocho en punto.
       Son las ocho y cuarto.
       Son las ocho y media.
       Son las ocho menos cuarto.

07   Son las cinco en punto.
       Son casi las cinco.
       Son las cinco pasadas.
       Son las cinco y media.

08   Son las dos en punto.
       Son casi las dos.
       Son las dos y media.
       Son las dos pasadas.

09   Son las siete en punto.
       Son las siete y cuarto.
       Son las siete y media.
       Son las siete y cuarenta y cinco.

10   Son casi las diez y media de la mañana.
       Son casi las once y media de la mañana.
       Son las cinco pasadas de la tarde.
       Son las nueve menos cuarto de la noche.

01   ¿Qué hombre alto lleva anteojos?
       ¿Qué hombre alto no lleva anteojos?
       ¿Qué persona baja no lleva anteojos?
       ¿Qué persona baja lleva anteojos?

02   Hay más personas que caballos.
       Hay más caballos que personas.
       Hay tantos paraguas como personas.
       Hay más personas que paraguas.

03   El payaso lleva un pantalón.
       El payaso se está poniendo un pantalón.
       El hombre con anteojos lleva un suéter.
       El hombre con anteojos se está poniendo un
         suéter.

04   El niño está acostado afuera.
       El niño está acostado adentro.
       Esto es el exterior del edificio.
       Esto es el interior del edificio.

05   dos flores rojas
       dos flores blancas y amarillas
       una flor rosada, una roja y una amarilla
       flores rosadas

06   ¿Qué gato es real?
       ¿Qué gato no es real?
       ¿Qué oveja no es real?
       ¿Qué oveja es real?

07   Él es fuerte.
       Él es débil.
       Ellos no están cansados.
       Ellos tienen calor y están cansados.

08   El panadero está haciendo pan.
       La secretaria está escribiendo a máquina.
       La maestra está enseñando a los niños.
       Los estudiantes están leyendo.

09   Estas flores son de verdad.
       Ésta es una pintura de flores.
       Esta mujer es de verdad.
       Ésta es una pintura de una mujer.

10   Son las siete en punto.
       Son las siete y cuarto.
       Son las siete y media.
       Son las siete y cuarenta y cinco.

4-01 Preguntas y repuestas; ser, estar; interrogativo "qué"

01 ¿Está caminando la mujer?
Sí, ella está caminando.

¿Está sonriendo el niño?
Sí, él está sonriendo.

¿Están jugando los niños?
Sí, ellos están jugando.

¿Está sonriendo la mujer?
Sí, ella está sonriendo.

02 ¿Están saltando los niños?
Sí, ellos están saltando.

¿Están saltando los niños?
No, ellos están sentados.

¿Está el hombre montando a caballo?
Sí, él está montando a caballo.

¿Está el hombre montando a caballo?
No, él está caminando.

03 ¿Está él tocando el violín?
Sí.

¿Está él tocando el violín?
No.

¿Está la bicicleta al revés?
No, está al derecho.

¿Está la bicicleta al revés?
Sí.

04 ¿Es amarillo el carro?
Sí, es amarillo.

¿Es amarillo el carro?
No, no es amarillo.

¿Están saltando los niños?
Sí, ellos están saltando.

¿Están saltando los niños?
No, ellos no están saltando.

05 ¿Qué está haciendo ella?
Ella está corriendo.

¿Qué están haciendo ellas?
Ellas están caminando.

¿Qué está haciendo él?
Él está andando en la bicicleta.

¿Qué están haciendo ellos?
Ellos están montando a caballo.

06 ¿Qué está haciendo el niño?
Él está jugando con su padre.

¿Qué está haciendo el niño?
Él está caminando.

¿Qué está haciendo el niño?
Él está acostado en el suelo.

¿Qué está haciendo el niño?
Él está jugando con su perro.

07 ¿Qué está haciendo el hombre?
Él está bebiendo agua.

¿Qué está haciendo el hombre?
Él está tocando la guitarra.

¿Qué está haciendo el hombre?
Él se está poniendo un suéter.

¿Qué está haciendo el hombre?
Él está sentado con su hijo.

08 ¿Está él cayéndose?
Puede ser.

¿Está él cayéndose?
Él está cayéndose.

¿Está el niño cayéndose?
No, él no está cayéndose.

¿Están ellas cayéndose?
No, ellas no están cayéndose.

09 ¿Está sonriendo el niño?
Sí, él está sonriendo.

¿Está sonriendo el hombre?
No, él no está sonriendo.

¿Está sonriendo ella?
Sí, ella está sonriendo.

¿Está sonriendo el perro?
¿Pueden sonreír los perros?

10 ¿Es un poni?
Sí, es un poni.

¿Es un perro?
Sí, es un perro.

¿Es un perro?
No, es un gato.

¿Es un perro?
No, es un pez.

4-02   Abierto–cerrado, junto–separado, estirado–doblado

01   La puerta del carro está abierta.
La puerta del carro está cerrada.
Los ojos de la mujer están abiertos.
Los ojos de la mujer están cerrados.

02   Los ojos están abiertos.
Los ojos están cerrados.
La boca está abierta.
La boca está cerrada.

03   Los ojos del hombre están cerrados y su boca está abierta.
Los ojos del hombre están abiertos y su boca está cerrada.
La boca de la mujer está abierta y sus ojos están abiertos.
La boca de la mujer está cerrada y sus ojos están cerrados.

04   Sus manos están cerradas.
Sus manos están abiertas.
Una mano está abierta y una mano está cerrada.
Su boca está abierta.

05   cuatro brazos
muchas piernas
cuatro dedos de la mano
cinco dedos del pie

06   Las manos están juntas.
Las manos están separadas.
Los pies están juntos.
Los pies están separados.

07   Las piernas del hombre están juntas.
Las piernas del hombre están separadas.
Las piernas del niño están juntas.
Las piernas del niño están separadas.

08   Las manos están separadas y los pies están separados.
Las manos y los pies están juntos.
Los pies están separados y las manos están juntas.
Los pies están juntos y las manos están separadas.

09   El hombre y la mujer están juntos.
Los caballos están juntos.
El hombre y la mujer están separados.
Los caballos están separados.

10   Los brazos de la mujer están estirados.
Los brazos de la mujer están doblados.
Las piernas del hombre están dobladas.
Las piernas del hombre están estiradas.

4-03   Los números 1–100

01   uno
dos
tres
cuatro

02   cinco
seis
siete
ocho

03   nueve
diez
once
doce

04   trece
catorce
quince
dieciséis

05   diecisiete
dieciocho
diecinueve
veinte

06   veinte
treinta
cuarenta
cincuenta

07   sesenta
setenta
ochenta
noventa

08   setenta y cinco
ochenta y cinco
noventa y cinco
cien

09   veintidós
treinta y dos
cuarenta y dos
cincuenta y dos

10   cuarenta y seis
sesenta y seis
ochenta y seis
cien

4-04 Las personas están hablando; pueden hablar

01 Gorbachov está hablando.
Tres hombres están hablando.
El hombre de la camiseta amarilla está hablando.
La mujer está hablando.

02 Este hombre está hablando.
Este hombre está jugando al ajedrez.
Este niño está hablando.
Este niño está acostado en el suelo.

03 El niño está hablando con el hombre.
El hombre está hablando con el niño.
La mujer de azul está hablando con la mujer de rojo.
La mujer está hablando con el hombre.

04 El niño está hablando con el hombre acerca del avión.
El hombre está hablando con el niño acerca del avión.
El hombre está hablando por el radio-comando.
El hombre está hablando por el teléfono móvil.

05 La mujer está hablando con la muchacha acerca del libro.
Estas dos mujeres están hablando acerca de la planta.
Esta mujer no está hablando, ella se está riendo.
Estas dos muchachas no están hablando en absoluto.

06 Esta mujer no está hablando.
Estos hombres no están hablando.
Estos hombres están hablando.
Esta mujer está hablando.

07 El hombre está hablando por teléfono.
La mujer está hablando por teléfono.
El hombre no está hablando por teléfono.
La mujer no está hablando por teléfono.

08 ¿Qué hombre puede hablar?
Estas mujeres pueden hablar.
¿Qué hombre no puede hablar?
Estas mujeres no pueden hablar. Son maniquíes.

09 El hombre no puede hablar ahora porque está bebiendo.
El hombre puede hablar porque él no está bebiendo.
El niño no puede hablar porque está debajo del agua.
El niño puede hablar porque no está debajo del agua.

10 ¿Qué hombre no puede hablar?
¿Qué hombre puede hablar?
¿Qué niño puede hablar?
¿Qué niño no puede hablar?

4-05 Yendo y viniendo; despierto y dormido

01 Las mujeres están viniendo.
Las mujeres se están yendo.
Los caballos están viniendo.
La pareja se está yendo.

02 Él está subiendo al muro.
Él está subiendo las escaleras.
Él está bajando las escaleras.
Él está subiendo la escalera.

03 El gato está durmiendo.
El gato no está durmiendo.
El bebé está durmiendo.
El bebé no está durmiendo.

04 El gato está dormido.
El gato está despierto.
El bebé está dormido.
El bebé está despierto.

05 La pareja está viniendo.
La pareja se está yendo.
La pareja en el parque se está besando.
La pareja en el parque no se está besando.

06 El caballo está subiendo a la furgoneta.
El caballo ha bajado de la furgoneta.
El niño está entrando en el agua.
El muchacho está saliendo del agua.

07 La mujer está subiendo por la escalera mecánica.
La mujer está bajando por la escalera mecánica.
El hombre está subiendo los escalones.
El hombre está bajando los escalones.

08 Estas personas están subiendo por la escalera mecánica.
Las personas están subiendo los escalones.
Estas personas están bajando por la escalera mecánica.
Las personas están bajando los escalones.

09 El hombre está subiéndose al avión.
El hombre está bajándose del avión.
El hombre está bajándose del camión.
El hombre está subiéndose al camión.

10 La pareja está entrando en el edificio.
La pareja está saliendo del edificio.
El hombre está subiéndose al carruaje.
El hombre está bajándose del carruaje.

01   La niña está oliendo una flor.
      El niño está viendo la televisión.
      El niño está oliendo una flor.
      La niña está viendo la televisión.

02   La mujer va a manejar el carro.
      La mujer está montando a caballo.
      La mujer está besando al caballo.
      La mujer está guiando al caballo.

03   El niño está oliendo la flor.
      El niño no está oliendo las flores.
      La niña se está cepillando el pelo.
      La niña está bailando.

04   La mujer lleva un sombrero.
      El hombre está tocando el casco del caballo.
      El hombre está tocando la oreja del caballo.
      El hombre se está poniendo los guantes.

05   El hombre está subiéndose al carruaje.
      El hombre está subiéndose al camión.
      La mujer está besando al hombre.
      La mujer está besando al caballo.

06   La niña no está viendo la televisión.
      La niña lleva un sombrero puesto mientras está
         viendo la televisión.
      La niña se está cepillando el pelo mientras está
         viendo la televisión.
      La niña está bailando mientras está viendo la
         televisión.

07   La mujer está cantando mientras está tocando el
         piano eléctrico.
      La mujer está bebiendo mientras está tocando el
         piano eléctrico.
      La mujer se está cepillando el pelo mientras está
         sosteniendo su monedero.
      La mujer está escribiendo mientras está
         sosteniendo su monedero.

08   El hombre está alcanzando una pala mientras
         está sosteniendo un libro.
      El hombre está señalando mientras está
         sosteniendo una pala.
      El hombre está leyendo un libro mientras el
         perro está de pie entre sus piernas.
      El hombre está leyendo un libro mientras el niño
         está escuchando.

09   Una niña está sosteniendo su sombrero mientras
         está caminando.
      El hombre está bebiendo mientras está sentado
         en el carruaje.
      El hombre está sentado en la bicicleta mientras
         el niño está subiendo a la cerca.
      Los niños están mirando mientras el hombre está
         escribiendo.

10   El niño está subiendo la escalera mientras el
         hombre está mirando.
      El niño está subiendo la escalera mientras nadie
         está mirando.
      Estos hombres llevan armas mientras están
         caminando por el agua.
      Estos hombres llevan armas mientras están
         marchando en un desfile.

4-07 Relaciones entre familia

01   una niña y su madre
      una niña y su padre
      un niño y su madre
      un niño y su padre

02   una niña y su madre
      una niña y su padre
      una niña y su hermano
      una niña y su familia

03   el niño y su madre
      el niño y su padre
      el niño y su hermana
      el niño y su familia

04   La mujer está sentada al lado de su esposo en
      un sofá.
      La mujer está parada con su esposo e hijos.
      La mujer está sentada en una silla al lado de
      su esposo.
      La mujer está sentada encima de su esposo.

05   El hombre está sentado al lado de su esposa en
      un sofá.
      El hombre está parado con su esposa e hijos.
      El hombre está sentado en una silla al lado de
      su esposa.
      La esposa del hombre está sentada sobre él.

06   una madre y su hijo
      un padre y su hijo
      un padre y su hija
      una madre y su hija

07   una hermana y su hermano y su madre
      un esposo y su esposa y su hija
      una hermana y su hermano con sus padres
      una hermana y su hermano sin sus padres

08   Estas cuatro personas son una familia.
      Estas cuatro personas no son una familia.
      Estas tres personas son de la misma familia.
      Estas tres personas no son de la misma familia.

09   los padres con sus hijos
      los padres sin sus hijos
      dos hermanos y su padre
      dos hermanos y su madre

10   dos hermanas y su padre
      dos hermanos y su padre
      un niño con sus padres
      Estas personas no son de la misma familia.

4-08 Todos, alguien, nadie

01   Todos llevan un sombrero amarillo.
      Todos están corriendo.
      Todos están sentados.
      Todos están bailando.

02   Alguien está detrás del árbol.
      Alguien está detrás del hombre.
      Alguien está tomando una fotografía.
      Alguien está vestido de amarillo.

03   Todos llevan sombreros amarillos.
      Nadie lleva un sombrero amarillo.
      Alguien está tocando al gato.
      Nadie está tocando al gato.

04   Todas están vestidas de blanco.
      Nadie está vestida de blanco.
      Alguien está vestido de blanco y alguien no está
      vestido de blanco.
      El vaquero está vestido de blanco.

05   Todos están saltando al agua.
      Ninguno de los tres niños está saltando al agua.
      Alguien está saltando al agua.
      Alguien está nadando debajo del agua.

06   Alguien está pateando la pelota.
      Nadie está pateando la pelota.
      ¿Hay alguien en el avión? No, el avión está
      vacío.
      ¿Hay alguien en el avión? Sí, el niño está en el
      avión.

07   ¿Está alguien pateando la pelota? Sí, el niño.
      ¿Está alguien pateando la pelota? No, nadie.
      No hay nadie en el avión.
      Hay alguien en el avión.

08   El hombre de azul lleva algo.
      El hombre de azul no lleva nada.
      Ellos están señalando algo.
      Ellos no están señalando nada.

09   Alguien está montando el caballo.
      Nadie está montando el caballo.
      Hay algo en el plato.
      No hay nada en el plato.

10   Hay algo encima de la mesa.
      No hay nada en ninguna de las mesas.
      Alguien está acostado en la tienda de campaña.
      No hay nadie en la tienda de campaña.

4-09   Vehículos

01   una motocicleta
unas motocicletas
un ómnibus amarillo
dos ómnibuses amarillos

02   un carro rojo pequeño
una limosina blanca
un barco rojo
un camión negro grande

03   El camión está jalando el carro.
Alguien está manejando un carro.
El carro rojo está detrás del camión.
El camión está jalando un barco.

04   El camión está encima de un puente y debajo de
otro puente.
Un camión y el carro están debajo del puente.
un puente grande
El carro está estacionado enfrente de una casa.

05   La bicicleta está aparcada.
El hombre está poniendo la bicicleta encima de
una furgoneta.
La mujer está subiendo a la furgoneta.
Los barcos están en el río.

06   El carro está doblando a la derecha.
Los carros están circulando a través de la nieve.
Los carros rojos están en un desfile.
El carro está pasando a un camión.

07   una limosina negra
un carro antiguo
un convertible con la capota bajada
un carro rojo deportivo

08   El tren está en la montaña.
Las personas están subiendo al tranvía.
Este carro rojo tuvo un accidente.
Este carro rojo no tuvo un accidente.

09   El carro rojo y el gris tuvieron un accidente.
El submarino está en el agua.
El barco tiene velas.
El carro rojo y el blanco están estacionados.

10   El carro rojo está chocado.
El carro rojo no está chocado.
El barco grande se está moviendo a través del
agua.
El camión-grúa está jalando el carro.

4-10   Preposiciones y objetos de preposiciones: con y sin

01   Él está saltando con una garrocha.
Ella está cantando con un micrófono.
El niño del suéter rojo está jugando. Él está
jugando con sus amigos.
Él está andando en la bicicleta usando las manos.

02   Él está saltando sin garrocha.
Ella está cantando sin micrófono.
Él está jugando sin sus amigos.
Él está andando en la bicicleta sin usar las
manos.

03   Él está saltando con una garrocha.
Él está saltando sin garrocha.
Ella está cantando con un micrófono.
Ella está cantando sin micrófono.

04   Él está jugando con sus amigos.
Él está jugando sin sus amigos.
Él está andando en la bicicleta sin usar las
manos.
Él está andando en la bicicleta usando las manos.

05   El hombre está saltando sin paracaídas.
El hombre está saltando con un paracaídas.
Él está subiendo con una soga.
Él está subiendo sin soga.

06   El hombre sin camisa está corriendo.
El hombre con camiseta está corriendo.
La mujer con anteojos de sol está sentada.
La mujer sin anteojos de sol está sentada.

07   Las personas con paraguas están caminando.
Las personas sin paraguas están caminando.
La persona con casco está andando en la
bicicleta.
La persona sin casco está andando en la
bicicleta.

08   La mujer con sombrero está caminando.
La mujer sin sombrero está caminando.
El hombre sin sombrero está sentado encima de
una caja.
El hombre con sombrero está sentado encima de
una caja.

09   El hombre con gorra está escribiendo.
El hombre con sombrero está señalando.
El hombre sin sombrero está señalando.
El hombre sin gorra está escribiendo.

10   El niño con suéter está jugando en la arena.
El niño sin suéter está jugando en la arena.
El niño con suéter está jugando en la hierba.
El niño sin suéter está jugando en la hierba.

01   ¿Qué está haciendo el hombre?
El está bebiendo agua.

¿Qué está haciendo el hombre?
El está tocando la guitarra.

¿Qué está haciendo el hombre?
El se está poniendo un suéter.

¿Qué está haciendo el hombre?
El está sentado con su hijo.

02   Las manos están separadas y los pies están
separados.
Las manos y los pies están juntos.
Los pies están separados y las manos están
juntas.
Los pies están juntos y las manos están
separadas.

03   setenta y cinco
ochenta y cinco
noventa y cinco
cien

04   El hombre no puede hablar ahora porque está
bebiendo.
El hombre puede hablar porque él no está
bebiendo.
El niño no puede hablar porque está debajo del
agua.
El niño puede hablar porque no está debajo del
agua.

05   El gato está dormido.
El gato está despierto.
El bebé está dormido.
El bebé está despierto.

06   La mujer está cantando mientras está tocando el
piano eléctrico.
La mujer está bebiendo mientras está tocando el
piano eléctrico.
La mujer se está cepillando el pelo mientras está
sosteniendo su monedero.
La mujer está escribiendo mientras está
sosteniendo su monedero.

07   una hermana y su hermano y su madre
un esposo y su esposa y su hija
una hermana y su hermano con sus padres
una hermana y su hermano sin sus padres

08   Alguien está montando el caballo.
Nadie está montando el caballo.
Hay algo en el plato.
No hay nada en el plato.

09   El camión está jalando el carro.
Alguien está manejando un carro.
El carro rojo está detrás del camión.
El camión está jalando un barco.

10   El hombre con gorra está escribiendo.
El hombre con sombrero está señalando.
El hombre sin sombrero está señalando.
El hombre sin gorra está escribiendo.

5-01 Suma y resta, multiplicación y división

01   seis
      uno
      veinte
      nueve

02   dos
      cinco
      once
      ocho

03   tres
      cuatro
      siete
      diez

04   Uno más uno es igual a dos.
      Uno más dos es igual a tres.
      Uno más tres es igual a cuatro.
      Uno más cuatro es igual a cinco.

05   Tres más cuatro es igual a siete.
      Tres más cinco es igual a ocho.
      Seis menos dos es igual a cuatro.
      Seis menos cuatro es igual a dos.

06   Seis más cinco es igual a once.
      Seis más seis es igual a doce.
      Cuatro más tres es igual a siete.
      Cuatro más cinco es igual a nueve.

07   Ocho menos dos es igual a seis.
      Ocho menos cuatro es igual a cuatro.
      Siete menos tres es igual a cuatro.
      Siete menos cinco es igual a dos.

08   Doce menos cinco es igual a siete.
      Doce menos seis es igual a seis.
      Doce menos siete es igual a cinco.
      Doce menos ocho es igual a cuatro.

09   Doce dividido entre dos es igual a seis.
      Dos por seis es igual a doce.
      Seis dividido entre tres es igual a dos.
      Dos por ocho es igual a dieciséis.

10   Diez dividido entre cinco es igual a dos.
      Quince dividido entre cinco es igual a tres.
      Veinte dividido entre cinco es igual a cuatro.
      Cuatro por cinco es igual a veinte.

5-02 Posesión con "de" y el adjetivo posesivo "su"

01   un niño
      el niño y su padre
      el niño y su perro
      el perro del niño sin el niño

02   una mujer de pelo rubio y su perro
      un hombre y su perro
      una mujer de pelo oscuro y su perro
      un niño y su perro

03   La mujer está paseando su perro.
      El niño está paseando su perro.
      Alguien está paseando tres perros.
      Las mujeres están paseando sus perros.

04   El sombrero de la mujer es negro.
      El casco del hombre es blanco.
      El caballo de la mujer está saltando.
      El caballo del hombre está corcoveando.

05   Los calcetines de la niña son blancos.
      La camiseta de la niña es blanca.
      El perro del hombre es pequeño.
      El perro del hombre está leyendo.

06   la mujer con su gato
      la muchacha con su caballo
      el hombre con su gato
      el hombre con su caballo

07   El hombre lleva su propia camisa.
      Esta camisa no es del niño. Es demasiado grande.
      La camisa del hombre está encima de la mesa.
      Esta camisa no es del hombre. Es demasiado pequeña.

08   un sombrero de mujer
      un sombrero de hombre
      una mano de hombre
      una mano de mujer

09   un carro de niño
      un carro de adulto
      ropa de niños
      ropa de adultos

10   guantes de mujer
      guantes de hombre
      piernas de mujeres
      las piernas de una mujer

5-03 El presente progresivo, el presente perfecto y el futuro con "ir a"

01 La niña está saltando.
La niña está caminando.
La niña está montando un poni.
La niña se está riendo.

02 El niño va a saltar.
El niño va a caer.
El niño va a comer.
El niño va a montar bicicleta.

03 La mujer ha saltado.
La mujer ha abierto la caja registradora.
La mujer ha lanzado la pelota.
La mujer se ha ido a dormir.

04 El hombre y la mujer se van a abrazar.
El hombre y la mujer se están abrazando.
Esta obra fue hecha por Picasso.
Esta obra no fue hecha por Picasso.

05 El cisne está nadando.
El pato está volando.
El pato está caminando.
El cisne está batiendo las alas, pero no está
volando.

06 El perro va a atrapar el disco volador.
El perro ha atrapado el disco volador.
El perro va a recoger el sombrero.
El perro ha recogido el sombrero.

07 El caballo ha saltado.
El caballo ha desmontado al vaquero.
El caballo ha subido.
El caballo ha bajado.

08 Los niños van a saltar de la mesa.
Los niños están saltando de la mesa.
Los niños han saltado de la mesa.
Los niños están caminando alrededor de la mesa.

09 El hombre de la camisa blanca va a subir al
muro.
El hombre de la camisa blanca está subiendo al
muro.
El camello va a abrir la boca.
El camello ha abierto la boca.

10 El hombre va a usar el teléfono móvil. Él lo está
sacando de su bolsillo.
El hombre está usando el teléfono móvil.
El hombre está sosteniendo el teléfono móvil,
pero no lo está usando.
El hombre está usando un teléfono rojo.

5-04 Más números

01 diecisiete
veintisiete
treinta y siete
treinta y ocho

02 cuarenta y tres
treinta y cuatro
sesenta y tres
treinta y seis

03 setenta y ocho
ochenta y siete
noventa y cinco
cincuenta y nueve

04 ciento cuarenta y cinco
ciento cincuenta y cuatro
doscientos setenta y ocho
doscientos ochenta y siete

05 trescientos veinticinco
trescientos cincuenta y dos
cuatrocientos veinticinco
cuatrocientos cincuenta y dos

06 quinientos cuarenta y nueve
quinientos cincuenta y nueve
seiscientos sesenta y nueve
seiscientos noventa y seis

07 setecientos treinta y cuatro
setecientos cuarenta y tres
ochocientos treinta y cuatro
ochocientos cuarenta y tres

08 novecientos veintiséis
novecientos sesenta y dos
mil ochenta y siete
mil setenta y ocho

09 mil ochocientos cincuenta y siete
dos mil ochocientos cincuenta y siete
mil ochocientos setenta y cinco
dos mil ochocientos setenta y cinco

10 tres mil ciento veinticinco
siete mil ciento veinticinco
nueve mil ciento veinticinco
diez mil ciento veinticinco

01   El hombre está empujando la bicicleta.
El hombre está empujando el carrito.
La mujer está empujando las cajas.
Los hombres están empujando la colchoneta.

02   El hombre está jalando el carrito.
El poni está jalando el carrito.
Ellos están jalando la colchoneta.
Ellos están empujando la colchoneta.

03   Él está jalando el carrito.
Él está empujando el carrito.
Ellos están empujando la colchoneta.
Ellos están jalando la colchoneta.

04   El hombre está arreglando la bicicleta.
El hombre está andando en la bicicleta.
La mujer está paseando su perro.
La mujer está jugando con su perro.

05   La niña lleva un sombrero.
La niña está sosteniendo el sombrero.
El hombre está sosteniendo el vaso de agua. Él
no está bebiendo.
El hombre está bebiendo el vaso de agua.

06   La mujer está subiendo las escaleras.
La mujer está empujando las cajas.
El hombre está cargando al niño.
El hombre está empujando el carrito.

07   La mujer le está dando dinero al muchacho.
El hombre le está dando la medicina a la mujer.
La mujer le está dando la guitarra al niño.
El hombre le está dando la guitarra a la niña.

08   El muchacho está recibiendo dinero de la mujer.
El niño está recibiendo la guitarra de la mujer.
La niña está recibiendo la guitarra del hombre.
La mujer está recibiendo la medicina del
hombre.

09   La niña está agarrando un plato.
Alguien le está dando al hombre un plato de
comida.
Alguien le está dando a la mujer un plato de
comida.
El hombre le está dando la guitarra a la niña.

10   La mujer le está dando dinero al muchacho.
Alguien le está dando algo a la mujer.
El hombre está agarrando un vaso de leche.
El hombre le dio un vaso de leche a la mujer.

01   fuego
el sol
nieve
hielo

02   El fuego es caliente.
El sol es caliente.
La nieve es fría.
El hielo es frío.

03   un árbol y flores violetas
una vela
La nieve cubre los árboles.
La nieve cubre las montañas.

04   El fuego está quemando los árboles.
El fuego está quemando la vela.
El sol está detrás del árbol.
El sol está detrás de las nubes.

05   El fuego está echando humo negro.
El fuego está echando humo blanco.
La lumbre pequeña hace una llama azul.
El fósforo hace una llama amarilla.

06   Hace calor en el verano.
Hace frío en el invierno.
El pan está caliente.
El pan no está caliente.

07   Hace frío y estas personas llevan sombreros y
bufandas.
Hace calor y estas personas están sentadas al sol.
La gente juega en el agua cuando hace calor.
La gente juega en la nieve cuando hace frío.

08   un día caliente
un día frío
El helado está frío.
Esta comida está caliente.

09   Hace calor.
Hace frío.
una bebida fría
una bebida caliente

10   Él tiene calor.
Él tiene frío.
El sol brilla sobre la mujer.
El sol brilla sobre el suelo.

01 El rosal es un tipo de planta.
La hierba es un tipo de planta.
Los árboles son un tipo de planta.
Los arbustos y las flores son tipos de plantas.

02 dos tipos de flores
un tipo de flor
varios tipos de frutas
un tipo de fruta

03 Las uvas son un tipo de fruta.
Las bananas son un tipo de fruta.
Las manzanas son un tipo de fruta.
Las peras son un tipo de fruta.

04 El perro es un tipo de animal.
El gato es un tipo de animal.
Las ovejas son un tipo de animal.
Los patos son un tipo de animal.

05 dos tipos de patos
un tipo de pato
dos tipos de perros
un tipo de perro

06 La carne es un tipo de alimento.
La fruta es un tipo de alimento.
El pan es un alimento.
El helado es un alimento.

07 Las uvas son un alimento.
Las bananas son un alimento.
Las manzanas son un alimento.
Las peras son un alimento.

08 dos tipos de animales
un tipo de animal
un tipo de planta
varios tipos de plantas

09 El perro es un animal.
Éstas son plantas con flores.
Los caballos y el ganado son animales.
Los patos son animales.

10 muchos tipos de comidas
muchos tipos de plantas
una planta y un animal
dos tipos de animales

01 Una mesa es un mueble.
Una silla es un mueble.
Una cama es un mueble.
Un sofá es un mueble.

02 Una mesa y sillas son muebles.
Un escritorio y una silla son muebles.
Una cama es un mueble para dormir.
Un sofá es un mueble para sentarse.

03 Las mesas son muebles.
Las sillas son muebles.
Un banco es un mueble para sentarse.
Un armario ropero es un mueble para guardar
ropa.

04 Un vestido es una prenda de vestir.
Una chaqueta es una prenda de vestir.
Una camisa y una corbata son ropa.
ropa de niños

05 El payaso se está vistiendo.
El payaso está vestido.
La mujer se está vistiendo.
La mujer está vestida.

06 Estas personas están vestidas con ropa formal.
Estas personas están vestidas de vaqueros.
Estas personas están vestidas para nadar.
Estas personas están vestidas de payasos.

07 El hombre está tocando el piano, mientras
sostiene un saxofón.
Las guitarras son instrumentos musicales.
Los violines son instrumentos musicales.
Las flautas son instrumentos musicales.

08 Alguien está tocando una guitarra-bajo eléctrica.
Alguien está tocando una flauta.
Alguien está tocando un piano eléctrico.
Alguien está tocando el tambor.

09 El hombre con la flauta está tocando y el hombre
con el tambor está escuchando.
El hombre está sosteniendo dos guitarras.
Alguien está tocando una guitarra.
Los niños están tocando el piano.

10 muebles
ropa
instrumentos musicales
un mueble

5-09 Pocos, muchos, más, menos, demasiados

01 Dos personas están en una bicicleta.
Una persona está parada entre dos personas en bicicletas.
Una persona está en bicicleta y dos personas están caminando.
Muchas personas están en muchas bicicletas.

02 Hay más sillas que mesas.
Hay más manzanas verdes que manzanas rojas.
Hay la misma cantidad de leche en el vaso de la mujer que en el vaso de la niña.
Hay más caramelos en la mano izquierda del hombre que en su mano derecha.

03 Hay menos mesas que sillas.
Hay menos manzanas rojas que manzanas verdes.
Los dos vasos tienen la misma cantidad de leche.
Hay menos caramelos en la mano derecha del hombre que en su mano izquierda.

04 Hay un poco de comida en su bandeja.
Hay un montón de comida en su bandeja.
Hay menos agua que tierra en esta fotografía.
Hay más agua que tierra en esta fotografía.

05 Hay más arena que hierba en esta fotografía.
Hay menos arena que hierba en esta fotografía.
Hay más leche en el vaso de la niña que en el vaso de la mujer.
Hay menos leche en el vaso de la niña que en el vaso de la mujer.

06 Podemos contar los niños: uno, dos, tres.
Podemos contar los niños: uno, dos, tres, cuatro.
Podemos contar los niños: uno, dos, tres, cuatro, cinco, seis.
Podemos contar las velas: uno, dos, tres, cuatro, cinco.

07 Hay demasiadas monedas para contar.
Hay demasiados patos y cisnes para contar.
Hay demasiadas flores para contar.
Hay demasiados globos para contar.

08 unos pocos globos
demasiados globos para contar
unas pocas personas
demasiadas personas para contar

09 Hay demasiadas personas para contar.
No hay demasiadas personas para contar.
Hay demasiados sombreros para contar.
No hay demasiados sombreros para contar.

10 Hay muchas, muchas flores.
Hay sólo unas pocas flores.
Hay demasiados animales para contar.
Hay sólo un par de animales.

5-10 Más verbos: gestos humanos

01 Los niños están saludando con la mano.
La niña está saludando con la mano.
El hombre está saludando con la mano.
La mujer está saludando con la mano.

02 Uno de los payasos está saludando con la mano.
Uno de los payasos tiene las manos en los bolsillos.
Los payasos están saludando con la mano.
El payaso que está sentado está saludando con la mano.

03 La mujer está tosiendo.
El hombre está estornudando.
Este niño está sosteniendo la cuerda de la cometa en la boca.
Este muchacho está sacando la lengua.

04 Los brazos del muchacho están doblados.
El muchacho está bostezando.
El hombre está estornudando.
El hombre se está sonando la nariz.

05 Este hombre se está atando el zapato.
Este hombre se está rascando el cuello.
Este payaso se está señalando la nariz.
Este payaso se está rascando la cabeza.

06 La mujer sentada en el banco está cansada.
El hombre está cansado.
El muchacho está bostezando porque está cansado.
El niño está llorando.

07 La mujer está muy triste.
El hombre está pensando.
Estos hombres no están cansados.
Estos hombres están cansados.

08 La mujer está triste. Ella está en un funeral.
El hombre está muy contento.
Estos hombres han corrido en una carrera. Ellos están muy cansados.
Este hombre va a correr en una carrera. Se está desentumeciendo.

09 Dos corredores están terminando una carrera. El de la camiseta roja ganará.
El hombre está muy contento. Él ha ganado dos medallas.
Esta mujer está contenta de estar cantando.
El niño está llorando porque está triste.

10 El hombre se está rascando la frente.
El hombre está pensando.
El niño está recogiendo algo del suelo.
La mujer está recogiendo algo del suelo.

01   Soy pelirroja.
Yo llevo un sombrero.
Yo tengo pelo negro.
Soy calvo.

02   Nosotros tenemos frío.
Nosotros tenemos calor.
Yo tengo frío.
Yo tengo calor.

03   Yo estoy cansada.
Yo no estoy cansada. Estoy saltando a la soga.
Estamos cansados.
No estamos cansados.

04   Yo soy fuerte.
Yo soy débil.
Nosotros estamos corriendo y no estamos
cansados.
Estamos corriendo y estamos cansados.

05   Estoy enfermo.
Yo estoy sano.
Soy un pájaro azul.
Yo soy un pájaro con cabeza roja.

06   Yo soy el hombre que tiene hambre.
Soy el hombre que está lleno.
Soy la mujer que tiene hambre.
Yo soy la mujer que está llena.

07   Estamos contentos.
Estamos tristes.
Estoy contento.
Yo estoy triste.

08   Nosotros estamos cansados.
Estoy cansada. Él no está cansado.
No estamos cansados. Él está cansado.
Yo estoy cansado. Ella no está cansada.

09   Estoy enfermo.
Tengo sed.
Yo tengo frío.
Yo soy rico.

10   Yo no estoy bebiendo. Tú estás bebiendo.
Tengo hambre.
Tenemos frío.
Nosotros tenemos calor y estamos cansados.

01   Seis más cinco es igual a once.
Seis más seis es igual a doce.
Cuatro más tres es igual a siete.
Cuatro más cinco es igual a nueve.

02   guantes de mujer
guantes de hombre
piernas de mujeres
las piernas de una mujer

03   El hombre va a usar el teléfono móvil. Él lo está
sacando de su bolsillo.
El hombre está usando el teléfono móvil.
El hombre está sosteniendo el teléfono móvil,
pero no lo está usando.
El hombre está usando un teléfono rojo.

04   setecientos treinta y cuatro
setecientos cuarenta y tres
ochocientos treinta y cuatro
ochocientos cuarenta y tres

05   La mujer le está dando dinero al muchacho.
El hombre le está dando la medicina a la mujer.
La mujer le está dando la guitarra al niño.
El hombre le está dando la guitarra a la niña.

06   muchos tipos de comidas
muchos tipos de plantas
una planta y un animal
dos tipos de animales

07   El payaso se está vistiendo.
El payaso está vestido.
La mujer se está vistiendo.
La mujer está vestida.

08   Hay más arena que hierba en esta fotografía.
Hay menos arena que hierba en esta fotografía.
Hay más leche en el vaso de la niña que en el
vaso de la mujer.
Hay menos leche en el vaso de la niña que en el
vaso de la mujer.

09   Este hombre se está atando el zapato.
Este hombre se está rascando el cuello.
Este payaso se está señalando la nariz.
Este payaso se está rascando la cabeza.

10   Nosotros estamos cansados.
Estoy cansada. Él no está cansado.
No estamos cansados. Él está cansado.
Yo estoy cansado. Ella no está cansada.

6-01 Ser, estar y tener: el presente indicativo y el imperfecto

01 Los niños están en el parque.
El niño está en el avión.
El perro tiene un disco volador en la boca.
La taza de medir está llena.

02 Éstos son los niños que estaban en el parque.
El niño estaba en el avión.
El perro tenía un disco volador en la boca.
La taza estaba llena.

03 La boca del muchacho está abierta.
Los niños están encima de la mesa.
La boca del muchacho estaba abierta.
Los niños estaban encima de la mesa.

04 La mujer tiene la caja.
Ésta es la mujer que tenía la caja.
Las niñas tienen una soga.
Éstas son las niñas que tenían una soga.

05 El hombre tiene un sombrero en la cabeza.
Éste es el hombre que tenía el sombrero en la cabeza.
El niño de azul tiene un rastrillo en las manos.
El niño de azul tenía un rastrillo en las manos.

06 Estas personas están en una carrera de bicicletas.
Estas personas estaban en una carrera de bicicletas.
Este hombre está en una carrera de bicicletas.
Este hombre estaba en una carrera de bicicletas.

07 El muchacho está encima de la mesa.
El muchacho estaba encima de la mesa.
La mujer está sosteniendo un cuaderno.
La mujer estaba sosteniendo un cuaderno.

08 Esta persona está en el agua.
Esta persona estaba en el agua.
El niño está en la pared. Él está subiendo por la pared.
El niño estaba en la pared. Él se ha caído de la pared.

09 Estas personas están en un desfile.
Estas personas estaban en un desfile.
El hombre está en el camión.
El hombre estaba en el camión.

10 El niño está adentro.
El niño estaba adentro. Ahora está afuera.
El payaso tiene un sombrero en la cabeza.
El payaso tenía un sombrero en la cabeza.

6-02 El presente perfecto, el presente progresivo y el futuro con "ir a"

01 El hombre va a subir al carro.
El hombre está subiendo al carro.
El hombre va a subir al carruaje.
El hombre está subiendo al carruaje.

02 El niño va a saltar.
El niño está saltando.
El niño ha saltado.
El niño va a lanzar la pelota.

03 La mujer va a escribir.
La mujer está escribiendo.
El niño se está cayendo.
El niño ha caído.

04 El niño va a salir del agua.
El niño se va a deslizar.
El niño se está deslizando.
El niño se ha deslizado dentro del agua.

05 El niño va a saltar.
El niño está saltando.
Las personas van a cruzar la calle.
Las personas están cruzando la calle.

06 El niño está mirando la pelota.
El niño va a lanzar la pelota.
El hombre va a lanzar al niño.
El hombre ha lanzado al niño.

07 La mujer va a meter algo en la bolsa.
La mujer ha metido algo en la bolsa.
La mujer va a besar al hombre.
La mujer está besando al hombre.

08 La mujer va a entrar en el edificio.
La mujer está entrando en el edificio.
El hombre va a cerrar el maletero del carro.
El hombre ha cerrado el maletero del carro.

09 Las personas van a subir los escalones.
Las personas están subiendo los escalones.
Las personas han subido los escalones.
Las personas están bajando los escalones.

10 Las personas van a bajar los escalones.
Las personas están bajando los escalones.
Las personas han bajado los escalones.
Las personas están subiendo los escalones.

6-03 Más descripciones de personas; adjetivos demostrativos

01 El hombre viejo tiene barba blanca.
El hombre calvo está mirando una alfombra.
El hombre calvo tiene barba.
El hombre con una corbata roja tiene barba.

02 El hombre tiene barba.
El hombre es calvo.
El hombre no tiene barba.
La mujer no tiene barba.

03 Estas personas llevan uniformes.
Estas personas no llevan uniformes.
Este hombre lleva uniforme.
Este hombre no lleva uniforme.

04 Esta persona tiene bigote pero no barba.
Esta persona tiene barba pero no bigote.
Esta persona tiene barba y bigote.
Esta persona no tiene barba ni bigote.

05 Esta estatua tiene bigote.
Esta estatua tiene barba.
La mujer con el pelo largo tiene un zarcillo en la oreja.
La mujer con el pelo corto tiene un zarcillo en la oreja.

06 Esta pareja está vestida elegantemente.
Esta pareja no está vestida elegantemente.
Estos hombres están vestidos elegantemente.
Estos hombres no están vestidos elegantemente.

07 Esta niña tiene el pelo negro y piel oscura.
El niño del suéter rojo tiene la piel oscura.
La niña pelirroja tiene la piel blanca.
El niño de la camisa negra tiene la piel blanca.

08 ¿Qué mujer joven tiene la piel oscura?
¿Qué mujer joven tiene la piel blanca?
¿Qué hombre joven tiene la piel oscura?
¿Qué hombre joven tiene la piel blanca?

09 La mujer tiene la piel blanca y el pelo corto.
La mujer tiene la piel blanca y el pelo largo y rubio.
Esta persona tiene la piel oscura y el pelo corto.
Esta persona tiene la piel oscura y el pelo largo.

10 Este hombre tiene la piel oscura y tiene bigote.
Este hombre tiene la piel blanca y tiene barba.
Este hombre tiene la piel blanca y no tiene ni barba ni bigote.
Este hombre tiene la piel oscura y no tiene ni barba ni bigote.

6-04 Unidades de cosas

01 una bolsa con peces
una bolsa con uvas
unas bolsas con panes
una bolsa de papel vacía

02 un rollo de toallas de papel
una toalla de papel
una bolsa de papas fritas
una bolsa de plástico con uvas

03 una botella llena
una botella medio llena
una botella de vidrio vacía
un rollo de papel higiénico

04 dos rollos de toallas de papel
una bolsa de papel llena
una bolsa de plástico vacía
una bolsa de papel vacía

05 una botella de vidrio vacía
una botella llena
muchos panes
seis panes

06 un rollo de toallas de papel
un rollo de papel higiénico
una bolsa de papel llena
una bolsa de papel vacía

07 un tomate
muchos tomates
muchas cajas de manzanas
pedazos de sandía

08 un par de botas
un par de anteojos de sol
cestas de manzanas
cajas de manzanas

09 un par de anteojos de sol
un par de guantes y un par de zapatos
un par de botas
un par de dados

10 un ramo de flores
tres ramos de flores
una banana
muchas bananas

6-05   Ni–ni, ambos, ninguno

01   La mujer está montando a caballo.
La mujer ya no está montando a caballo.
Los hombres están montando bicicleta.
Los hombres ya no están montando bicicleta.

02   Los hombres están corriendo.
Los hombres ya no están corriendo.
Los muchachos están cantando.
Los muchachos ya no están cantando.

03   El hombre y la mujer están cantando.
El hombre y la mujer ya no están cantando.
El payaso se está vistiendo.
El payaso ya no se está vistiendo.

04   Esta mujer está comiendo.
Esta mujer está hablando por teléfono.
Esta mujer ni está hablando por teléfono ni está
comiendo.
Este hombre ni está hablando por teléfono ni está
comiendo.

05   Esta mujer está cantando y está tocando el piano.
Esta mujer ni está cantando ni está tocando el
piano.
Estas mujeres están tocando el tambor y están
sonriendo.
Estas mujeres ni están tocando el tambor ni están
sonriendo.

06   Ambas personas están cantando.
Ninguna de estas personas está cantando.
Sólo una de estas personas está cantando.
Todas estas seis personas están cantando.

07   El hombre de blanco está parado en la acera.
El hombre de blanco ya no está parado en la
acera.
El ómnibus está subido a la acera.
El ómnibus ya no está subido a la acera.

08   Estas cuatro personas están caminando.
Ninguna de estas cuatro personas está
caminando.
Estas tres personas están caminando.
Ninguna de estas tres personas está caminando.

09   Los dos muchachos están cantando. Ninguno de
ellos está besando a una mujer.
Ni el hombre ni la mujer están hablando.
Ni el hombre ni la mujer están besándose.
El hombre de la camisa negra está de pie.
Ninguno de sus amigos está de pie.

10   Ambos llevan paraguas.
Ni el hombre ni la mujer llevan un paraguas.
Todos llevan sombreros.
Ni el hombre ni el niño llevan sombreros.

6-06   Verbos: el presente progresivo y el imperfecto

01   Estas personas están en una carrera de bicicletas.
Estas personas estaban en una carrera de
bicicletas.
El payaso tiene un sombrero en la cabeza.
El payaso tenía un sombrero en la cabeza.

02   La muchacha está leyendo.
La muchacha estaba leyendo.
El muchacho está pescando.
El muchacho estaba pescando.

03   La niña está saltando a la soga.
Las niñas estaban saltando a la soga.
La mujer está bebiendo.
La mujer estaba bebiendo.

04   El padre y sus hijos están cavando.
El padre y sus hijos estaban cavando.
El perro está mirando el libro.
El perro estaba mirando el libro.

05   El hombre lleva una camisa que es demasiado
pequeña.
El hombre llevaba una camisa que era demasiado
pequeña.
El hombre lleva su propia camisa.
El hombre llevaba esta camisa, pero ahora la
lleva el niño.

06   El hombre está tocando la guitarra.
El hombre estaba tocando la guitarra.
La mujer está sosteniendo la guitarra.
La mujer estaba sosteniendo la guitarra, pero
ahora la tiene el niño.

07   El semáforo está en rojo.
El semáforo estaba en rojo.
El hombre está subiendo la escalera.
El hombre ha subido la escalera.

08   Algunas personas están manejando.
Algunas personas estaban manejando, pero ya
no.
Alguien va a manejar.
llaves de carro

09   Este perro está bostezando.
Este perro lleva un disco volador.
Este muchacho está bostezando.
Este muchacho está comiendo.

10   Éste es el perro que estaba bostezando.
Éste es el perro que estaba llevando un disco
volador.
Éste es el muchacho que estaba bostezando.
Éste es el muchacho que estaba comiendo.

01   dos hombres y una mujer
cuatro hombres
un hombre
tres hombres y una mujer

02   El hombre de la izquierda es el Príncipe Carlos.
El hombre de la izquierda es Ronald Reagan.
El hombre que está hablando es Mijail
   Gorbachov.
La mujer con los cantantes es Nancy Reagan.

03   El hombre de la izquierda se llama Carlos.
El nombre del hombre de la izquierda es Ronald.
El nombre del hombre es Mijail.
La mujer enfrente de los cantantes se llama
   Nancy.

04   El Príncipe Carlos está estrechando la mano a
   Ronald Reagan.
Ronald Reagan está parado con otros tres
   hombres.
Mijail Gorbachov está hablando.
Nancy Reagan les está sonriendo a los cantantes.

05   Ésta es Sandra. Es una niña.
Éste es Juan. Es un niño.
Ésta es Melisa. Es una mujer.
Éste es Ramón. Es un hombre.

06   La niña dice, "Me llamo Sandra y tengo cuatro
   años."
El niño dice, "Me llamo Juan y tengo diez años."
La mujer dice, "Me llamo Melisa y tengo
   veintidós años."
El hombre dice, "Me llamo Ramón y tengo
   veintitrés años."

07   Melisa va a subir los escalones.
Melisa está subiendo los escalones.
Melisa está bajando los escalones.
Melisa ha bajado los escalones.

08   Sandra está sosteniendo un globo.
Juan está sosteniendo un globo.
Ramón está parado en el árbol.
Melisa está parada en el árbol.

09   Sandra dice, "¡Mira mi globo!"
Juan dice, "¡Mira mi globo!"
Ramón dice, "¡Mira, estoy parado en el árbol!"
Melisa dice, "¡Mira, estoy parada en el árbol!"

10   Melisa y Ramón están subiendo al muro.
Melisa y Ramón están parados en el muro.
Melisa y Ramón acaban de saltar del muro. Sus
   pies no han tocado el suelo.
Melisa y Ramón han saltado del muro. Sus pies
   han tocado el suelo.

01   El hombre va a besar a su esposa.
El hombre está besando a su esposa.
La mujer va a lanzar la pelota.
La mujer ha lanzado la pelota.

02   La niña le está hablando al hombre.
La mujer no le está hablando a nadie. Está
   preparando la comida.
La mujer está sentada sobre el hombre.
La mujer está sentada en la mecedora.

03   La mujer está montando a caballo.
Nadie está montando el caballo.
Nadie está montando la bicicleta.
Alguien está montando la bicicleta.

04   El caballo está besando a la mujer.
El caballo no está besando a nadie.
El muchacho está pateando la pelota.
Nadie está pateando la pelota.

05   El caballo besa a la mujer.
Nadie besa a la mujer.
El muchacho está pateando la pelota.
El muchacho no está pateando nada.

06   El niño se está cayendo.
El niño se ha caído.
El hombre está subiendo la escalera.
El hombre ha subido la escalera.

07   Los hombres van a correr.
Los hombres están corriendo.
Los hombres han corrido.
Las mujeres van a correr.

08   La mujer va a levantar el gato.
La mujer está levantando el gato.
La mujer ha levantado el gato y lo está
   sosteniendo en sus brazos.
La mujer está leyendo el periódico.

09   La mujer se va a poner un vestido.
La mujer se está poniendo un vestido.
La mujer se ha puesto un vestido.
El hombre se está poniendo una camisa.

10   La niña se va a echar agua sobre la cabeza.
La niña se está echando agua sobre la cabeza.
La mujer va a leer el libro.
La mujer está leyendo el libro.

6-09 Más unidades de cosas

01 muchas bananas
unas bananas
muchos racimos de uvas
un racimo de uvas

02 unas bananas
una sola banana
un racimo de uvas
una sola uva

03 un par de muñecos
un grupo de muñecas
unas pocas flores
muchos racimos de flores

04 un par de velas
muchos pares de velas
un par de guantes
muchos pares de guantes

05 un racimo de flores
una sola flor
una pareja de banderas
montones de banderas

06 muchos globos
unos pocos globos
un solo ciclista
un grupo de ciclistas

07 un par de dados
dos pares de dados
una sola corredora
un grupo de corredores

08 un juego de herramientas
un juego de muebles de comedor
un juego de equipaje
un juego de cuchillos

09 un juego de cubiertos
un par de gemelos
un juego de ajedrez
un juego de platos

10 una pareja bajando una escalera mecánica
dos parejas
una pareja de muñecos
un juego de muñecas rusas

6-10 Solo, multitud, amigo, rodeado

01 La niña está sola.
La niña está con sus amigos.
La niña está con su padre y su madre.
La niña está con su perrito.

02 La cantante con el micrófono rojo está cantando
sola.
La cantante está cantando con una amiga.
La mujer está cantando con el coro.
La mujer está cantando sola mientras toca el
piano.

03 Las flores rodean a la mujer.
Los arbustos rodean a la mujer.
Los libros rodean a la mujer.
Las personas rodean a la mujer.

04 La mujer está rodeada de flores.
La mujer está rodeada de arbustos.
La mujer está rodeada de libros.
La mujer está rodeada de personas.

05 El castillo está solo sobre una colina, lejos de
otros edificios.
El fuerte está solo en el desierto, lejos de otros
edificios.
El castillo está rodeado de otros edificios.
La iglesia está rodeada de otros edificios.

06 La mujer está sola.
La mujer está con otra persona.
La mujer está rodeada de personas.
La mesa está rodeada de sillas.

07 una persona sola
una pareja de personas
varias personas
una multitud de personas

08 La niña está leyendo sola.
La niña está jugando con una amiga.
La niña está jugando con su maestra.
La niña está caminando con su maestra y su
amiga.

09 Alguien está bajando sola los escalones.
Varias personas están bajando los escalones.
Una multitud de personas está en las escaleras.
Una multitud de personas está caminando en la
acera.

10 Una enorme multitud de personas está
compitiendo en una carrera.
Varias personas están compitiendo en una
carrera.
Estas dos personas están compitiendo en una
carrera.
Esta persona está corriendo sola, pero no está
compitiendo en una carrera.

01	Yo soy doctor.
	Soy enfermera.
	Soy mecánico.
	Yo soy estudiante.

01   Estas personas están en un desfile.
Estas personas estaban en un desfile.
El hombre está en el camión.
El hombre estaba en el camión.

02   Yo soy policía.
Yo soy dentista.
Yo soy carpintero.
Soy científica.

02   La mujer va a entrar en el edificio.
La mujer está entrando en el edificio.
El hombre va a cerrar el maletero del carro.
El hombre ha cerrado el maletero del carro.

03   Soy secretaria.
Soy cocinero.
Soy maestra.
Soy camarero.

03   Esta pareja está vestida elegantemente.
Esta pareja no está vestida elegantemente.
Estos hombres están vestidos elegantemente.
Estos hombres no están vestidos elegantemente.

04   Estoy avergonzado.
Me duele el pie.
No tengo miedo. Él tiene miedo.
Estoy enfermo.

04   dos rollos de toallas de papel
una bolsa de papel llena
una bolsa de plástico vacía
una bolsa de papel vacía

05   Yo tengo frío.
Yo tengo calor y tengo sed.
Yo tengo miedo.
Soy doctor. Estoy con un enfermo.

05   Ambas personas están cantando.
Ninguna de estas personas está cantando.
Sólo una de estas personas está cantando.
Todas estas seis personas están cantando.

06   Estoy orgulloso de mi hijo.
Estoy orgulloso de mi coche.
Yo soy delgado.
Yo soy gordo.

06   El padre y sus hijos están cavando.
El padre y sus hijos estaban cavando.
El perro está mirando el libro.
El perro estaba mirando el libro.

07   Estoy afuera del banco.
Yo estoy en la estación de policía.
Yo soy rico.
Estoy dentro del banco.

07   La mujer va a levantar el gato.
La mujer está levantando el gato.
La mujer ha levantado el gato y lo está
  sosteniendo en sus brazos.
La mujer está leyendo el periódico.

08   ¡Caramba! Eso me lastimó el pie.
Yo soy cocinero.
Yo soy cocinera.
Estoy avergonzado.

08   un juego de cubiertos
un par de gemelos
un juego de ajedrez
un juego de platos

09   Yo estoy enfermo.
Yo soy doctor. No estoy enfermo.
Estoy reparando un carro.
Yo estoy trabajando en los dientes de alguien.

09   La cantante con el micrófono rojo está cantando
  sola.
La cantante está cantando con una amiga.
La mujer está cantando con el coro.
La mujer está cantando sola mientras toca el
  piano.

10   Yo estoy haciendo pan.
Yo estoy escribiendo a máquina.
Estoy enseñando a los estudiantes.
Nosotros estamos leyendo.

10   Yo soy policía.
Yo soy dentista.
Yo soy carpintero.
Soy científica.

7-01   Más verbos

01 La muchacha está subiéndose en la barca.
El muchacho está saliendo del agua.
El muchacho ha salido del agua.
El muchacho va a salir del agua.

02 El hombre y la mujer están señalando.
Ambas mujeres están señalando.
El niño de la izquierda está señalando.
Una mujer está señalando y una mujer no está
señalando.

03 El hombre está volando una cometa.
El hombre está intentando volar una cometa.
Hay tres cometas en el suelo.
El niño está volando una cometa.

04 El niño está mirando hacia abajo.
El niño está mirando hacia arriba.
El payaso está mirando hacia abajo.
El payaso está mirando hacia arriba.

05 El niño de la camisa roja está volando una
cometa.
El niño está bebiendo de un vaso y volando una
cometa.
El hombre está intentando abrir la boca de la
vaca.
Un hombre está intentando volar una cometa.

06 El niño de azul va a ser golpeado por una bola
de tierra.
El niño de azul ha sido golpeado por una bola de
tierra.
El hombre está trabajando.
El hombre no está trabajando.

07 El padre les está leyendo a sus hijos.
El padre está trabajando con sus hijos.
El padre tiene una pala en una mano y un libro
en la otra.
El padre le está leyendo al perro.

08 Los caballos están trabajando.
Los caballos no están trabajando.
El padre está señalando.
El padre y los niños están trabajando.

09 El niño de azul está jalando el rastrillo.
El niño está cavando.
El niño de blanco va a agarrar el rastrillo.
El niño de azul va a agarrar el rastrillo.

10 La niña va a dar heno a los caballos.
La niña está dando heno a los caballos.
La niña ha dado heno a los caballos.
El vaquero va a dar heno a la vaca.

7-02   Más verbos; palabras interrogativas; usualmente

01 El cisne está batiendo las alas.
Estos pájaros han extendido las alas.
El pájaro que está sobre las manos del hombre
tiene las alas extendidas.
El pájaro no tiene las alas extendidas.

02 Los camellos tienen cuatro patas.
Las personas tienen dos piernas.
Los patos tienen dos patas.
Los elefantes tienen cuatro patas.

03 Los astronautas llevan trajes espaciales.
Las niñas llevan vestidos.
Los aviones tienen alas.
Las aves tienen alas.

04 Los relojes tienen agujas.
Las bicicletas tienen ruedas.
Los marineros llevan uniformes de blanco y
negro.
Los soldados llevan armas.

05 ¿Quién lleva trajes espaciales?
¿Quién lleva vestidos?
¿Quién lleva armas?
¿Quién lleva uniformes de blanco y negro?

06 ¿Qué animal tiene sólo dos patas?
¿Qué animal tiene cuatro patas en el suelo?
¿Qué animal tiene dos patas en el suelo y dos
patas en el aire?
¿Qué animal tiene las cuatro patas por encima
del suelo?

07 Esta persona vende pan.
Esta persona vende anteojos de sol.
Esta persona vende tomates.
Esta persona vende plantas.

08 Los caballos llevan a personas, pero este caballo
no lleva a nadie.
Este caballo lleva a alguien.
Los aviones vuelan, pero este avión no está
volando.
Los aviones vuelan, y este avión está volando.

09 El trabajador lleva un casco.
El trabajador usualmente lleva un casco, pero
éste no lleva un casco ahora.
Los soldados llevan ametralladoras, pero estos
soldados no llevan ametralladoras.
Los soldados llevan ametralladoras y estos
soldados llevan ametralladoras ahora.

10   Los jóvenes están cantando.
      Los jóvenes cantan, pero ellos no están cantando
      ahora.
      Los perros usualmente no llevan ropa y este
      perro no lleva ropa.
      Los perros usualmente no llevan ropa, pero éste
      lleva ropa.

01   La mujer está corriendo rápidamente.
      Los hombres están andando rápidamente en
      bicicletas.
      El muchacho está esquiando rápidamente.
      El caballo está galopando rápidamente.

02   El caballo no está galopando rápidamente. Está
      caminando lentamente.
      El carro está yendo lentamente.
      El carro está yendo rápidamente.
      La mujer está montando a caballo rápidamente.

03   El caballo está yendo rápidamente.
      El caballo está yendo lentamente.
      El caballo no se está moviendo en absoluto.
      El toro está yendo lentamente.

04   La mujer está nadando rápidamente.
      El nadador está en el agua, pero no está nadando
      ahora.
      El esquiador está esquiando muy rápidamente.
      El esquiador está esquiando muy lentamente.

05   La niña se está poniendo los patines.
      La niña está patinando.
      El esquiador está esquiando colina abajo.
      El esquiador ha saltado.

06   una patinadora
      un esquiador
      una nadadora
      un corredor

07   El ciclista se está moviendo lentamente.
      La nadadora se está moviendo a través del agua.
      La estatua no se está moviendo.
      Alguien se está moviendo rápidamente al otro
      lado de la calle.

08   Los soldados de rojo están parados.
      Los soldados de negro están parados.
      Los astronautas están parados.
      La patinadora está parada.

09   Los ciclistas se están moviendo rápidamente.
      Los ciclistas se están moviendo lentamente.
      El avión se está moviendo rápidamente.
      El avión se está moviendo lentamente.

10   Esto no es un animal y se mueve lentamente.
      Esto no es un animal y se mueve rápidamente.
      Éste es un animal que se mueve lentamente.
      Éste es un animal que se mueve rápidamente.

7-04 Las estaciones del año

01 La casa está enfrente de muchos árboles verdes.
El carro está entre los árboles verdes en una carretera.
Los carros están en un estacionamiento entre los árboles blancos y rosados.
Un árbol verde está enfrente del edificio blanco.

02 No hace frío. Los árboles están verdes.
Hace frío. Los árboles están cubiertos de nieve.
No hace frío. Hay un árbol rosado.
Hace algo de calor. Hay un árbol rosado y un árbol blanco.

03 Hay nieve en las montañas detrás del avión rojo.
No hay nieve en la montaña donde está el hombre de la camisa roja.
Hay nieve en la montaña detrás del hombre de la camisa roja.
No hay ni nieve en la montaña, ni avión rojo, ni hombre con camisa roja.

04 Es invierno. La nieve está sobre las montañas.
Es invierno. La nieve está sobre los árboles.
Es otoño. Las hojas están amarillas.
Es primavera. Los árboles están rosados y blancos.

05 Es invierno. La nieve está sobre los árboles.
Es verano. Los árboles están verdes.
Es verano. Las personas están en la piscina.
Es otoño. Los árboles están amarillos y las hojas están en el suelo.

06 invierno
verano
primavera
otoño

07 verano
otoño
invierno
primavera

08 El sol se está poniendo. Esto lo llamamos atardecer.
un puente de noche
un puente de día
una ciudad de noche

09 El sol está saliendo. Esto lo llamamos amanecer.
La luna se ve de noche.
un edificio de noche
un edificio de día

10 Es invierno. Es de día.
Es invierno. Es de noche.
Es verano. Es de día.
Es verano. Es de noche.

7-05 Todos, algunos, la mayoría, ambos y ninguno

01 Estas flores son blancas.
Estas flores son rojas.
Estas flores son amarillas.
Estas flores son azules.

02 Todas estas flores son blancas.
Todas estas flores son rojas.
Todas estas flores son amarillas.
Todas estas flores son azules.

03 Algunas de las flores son blancas.
Algunas de las flores son moradas.
Algunos de los platos son amarillos.
Algunas de las personas llevan sombreros.

04 Algunas de estas flores son amarillas y algunas son blancas.
Algunas de estas flores son amarillas y algunas son moradas.
Algunas de las manzanas son verdes.
Algunas de las personas son mujeres y algunas son hombres.

05 La mayoría de las personas llevan sombreros amarillos, pero una no.
La mayoría de las flores son blancas, pero algunas son amarillas.
La mayor parte de la flor es roja, pero parte de ella es negra.
La mayor parte de la flor es roja, pero parte de ella es amarilla.

06 Ambos animales son caballos.
Ambas flores son blancas y amarillas.
Ambas son niñas.
Ambas aves son patos.

07 Ambos animales son caballos.
Ningún animal es un caballo.
Ambas son niñas.
Ninguna persona es una niña.

08 Algunas de las flores son rojas.
Ninguna de las flores es roja.
Uno de los patos es blanco.
Ninguno de los patos es blanco.

09 Algunas de estas flores son amarillas y las otras son moradas.
Todas estas flores son amarillas.
Uno de estos patos tiene la cabeza blanca y el otro tiene la cabeza verde.
Ninguno de estos patos tiene la cabeza blanca.

10 Ambas personas están señalando.
Ninguna persona está señalando.
Una persona está señalando, pero la otra no.
Uno de estos animales es un pato, pero el otro no.

Ninguno, ambos, todos; adjetivos demostrativos

01 Esta persona es una mujer.
Este animal es un perro.
Esta persona es una niña.
Este animal es un caballo.

02 Esta persona no es una niña.
Este animal no es un caballo.
Esta persona no es una mujer.
Este animal no es un perro.

03 Estas personas son hombres.
Estas personas son mujeres.
Estos animales son peces.
Estos animales son caballos.

04 Ninguna de estas personas es una mujer.
Ninguna de estas personas es un hombre.
Ninguno de estos animales es un caballo.
Ninguno de estos animales es un pez.

05 Todos éstos son niños.
Ninguna de éstas es un niño.
Todos estos animales son vacas.
Ninguno de estos animales es una vaca.

06 Ninguno de éstos es una niña.
Todas éstas son niñas.
Ninguno de estos animales es un pez.
Todos estos animales son peces.

07 Estas dos personas están bebiendo leche.
Estas dos personas están señalando la leche.
Una de estas personas está señalando a la otra.
Estas dos personas están montando a caballo.

08 Ambas personas están bebiendo leche.
Ambas personas están señalando la leche.
Sólo una de estas personas está señalando.
Ambas personas están montando a caballo.

09 Ninguna de estas personas está bebiendo leche.
Una de estas personas está bebiendo leche.
Ambas personas están bebiendo leche.
Una persona está bebiendo jugo de naranja.

10 La mujer está bebiendo leche, pero la niña no.
La niña está bebiendo leche, pero la mujer no.
Ambas la mujer y la niña están bebiendo leche.
Alguien está bebiendo, pero no está bebiendo leche.

Formas y localizaciones; preposiciones; todas y la mayoría

01 un círculo verde
un rectángulo verde
un cuadrado azul
un rectángulo azul

02 El círculo está enfrente del rectángulo.
El cuadrado está enfrente del triángulo.
El círculo está detrás del rectángulo.
El cuadrado está detrás del triángulo.

03 El niño está detrás del árbol.
El niño está enfrente del árbol.
El agua está detrás de la leche.
El agua está enfrente de la leche.

04 Un círculo es redondo.
Una pelota es redonda.
Un cuadrado no es redondo.
Este edificio no es redondo.

05 Esta ventana es redonda.
Esta ventana es cuadrada.
Este reloj es redondo.
Este reloj es cuadrado.

06 Hay un círculo alrededor de este rectángulo.
Hay un cuadrado alrededor de este rectángulo.
Hay flores amarillas alrededor de las flores azules.
Las sillas están alrededor de la mesa.

07 La mayoría de los cuadrados están al lado del círculo.
El círculo está por encima de la mayoría de los cuadrados.
La mayoría de los triángulos están por encima del rectángulo.
La mayoría de los triángulos están dentro del rectángulo.

08 La mayoría de los círculos están alrededor del rectángulo, pero no todos.
Todos los círculos están alrededor del rectángulo.
La mayoría de los círculos están enfrente del rectángulo, pero no todos.
Todos los círculos están enfrente del rectángulo.

09 Todas las personas llevan sombreros amarillos.
La mayoría de las personas llevan sombreros amarillos.
Todas las personas están vestidas de blanco.
La mayoría de las personas están vestidas de blanco.

10 El círculo está enfrente del cuadrado.
El círculo está detrás del cuadrado.
El círculo está por encima del cuadrado.
El círculo está debajo del cuadrado.

7-08   La izquierda y la derecha; lleno y vacío

01   El hombre está señalando con la mano derecha.
El hombre está señalando con la mano izquierda.
El muchacho está pateando con el pie derecho.
El muchacho está pateando con el pie izquierdo.

02   El hombre tiene caramelos en la mano izquierda.
El hombre tiene caramelos en la mano derecha.
El vaso de la izquierda tiene leche.
El vaso de la derecha tiene leche.

03   La mano izquierda del hombre está llena de
caramelos.
La mano derecha del hombre está llena de
caramelos.
El vaso de la izquierda está lleno de leche.
El vaso de la derecha está lleno de leche.

04   La mano izquierda del hombre está llena de
caramelos, pero su mano derecha está vacía.
La mano derecha del hombre está llena de
caramelos, pero su mano izquierda está vacía.
El vaso de la izquierda está lleno de leche, pero
el vaso de la derecha está vacío.
El vaso de la derecha está lleno de leche, pero el
vaso de la izquierda está vacío.

05   El vaso está vacío.
El vaso está lleno de leche.
El vaso está lleno de agua.
El vaso está lleno de jugo de naranja.

06   El vaso de la izquierda está lleno de leche y el
vaso de la derecha está lleno de agua.
El vaso de la derecha está lleno de leche y el
vaso de la izquierda está lleno de leche.
El vaso de la izquierda está lleno de agua, pero
el vaso de la derecha está vacío.
El vaso de la derecha está lleno de agua, pero el
vaso de la izquierda está vacío.

07   ¿De qué lado de la puerta está el hombre? Está
en el lado izquierdo.
¿De qué lado de la puerta está el hombre? Está
en el lado derecho.
¿De qué lado del número está el hombre? Está
en el lado derecho.
¿De qué lado del número está el hombre? Está
en el lado izquierdo.

08   El árbol de la derecha tiene muchas flores
blancas.
El árbol de la izquierda tiene muchas flores
blancas.
Hay muchas personas a la izquierda, pero sólo
unas pocas a la derecha.
Hay muchas personas a la derecha, pero sólo
unas pocas a la izquierda.

09   ¿Está escribiendo la mujer con la mano derecha?
Sí.
¿Está escribiendo la mujer con la mano
izquierda? Sí.
¿Qué mujer está señalando con la mano derecha?
La de la izquierda.
¿Qué mujer está señalando con la mano
izquierda? La de la derecha.

10   Alguien está caminando enfrente de las puertas a
la derecha.
Alguien está caminando enfrente de las puertas a
la izquierda.
Alguien está caminando enfrente de las puertas a
la izquierda y alguien está caminando enfrente
de las puertas a la derecha.
Alguien está caminando enfrente de las puertas
en el centro.

7-09   Por encima y por debajo; bajando y subiendo

01   El puente está por encima de la carretera.
La mujer está sosteniendo una pelota encima de la cabeza.
Una estatua de un león está por encima del hombre.
Por encima de la puerta está escrito el número "trescientos tres".

02   La carretera está por debajo del puente.
La mujer está debajo de la pelota.
El hombre está por debajo de la estatua de un león.
La puerta está por debajo del número "trescientos tres".

03   El joven está alcanzando un sombrero que está por encima de su cabeza.
El joven está sosteniendo un sombrero por debajo de su cabeza.
Vemos el tren desde arriba.
Vemos el tren desde abajo.

04   El avión está volando por encima de las nubes.
El avión está volando por debajo de las nubes.
El avión está volando enfrente de la montaña cubierta de nieve.
El avión está volando enfrente de la puesta de sol.

05   La mayoría de las personas están sentadas, pero una está parada.
La mayoría de las personas están paradas, pero una está sentada.
La mayoría de las personas están subiendo, pero unas pocas están bajando.
La mayoría de las personas están bajando, pero unas pocas están subiendo.

06   La mayoría de las vacas están acostadas en el suelo, pero unas pocas están paradas.
La mayoría de las vacas están paradas, pero unas pocas están acostadas en el suelo.
La mayoría de estas personas son niños, pero unas pocas son adultos.
La mayoría de las sillas están ocupadas. Sólo unas pocas están vacías.

07   Muchas personas están bajando, pero sólo unas pocas están subiendo.
Sólo unas pocas personas están bajando, pero muchas están subiendo.
Hay muchos globos en el cielo.
Hay sólo unos pocos globos en el cielo.

08   Muchas personas están sentadas en sillas.
Sólo dos personas están sentadas en sillas.
Sólo una persona está sentada en una silla.
Nadie está sentado en una silla.

09   Muchas personas están andando en las bicicletas.
Sólo unas pocas personas están andando en las bicicletas.
Sólo una persona está andando en la bicicleta.
Nadie está andando en las bicicletas.

10   Sólo uno de estos teléfonos es rojo.
Sólo uno de estos teléfonos se está usando.
La mayoría de estas armas están apoyadas contra la pared.
Ninguna de estas armas está apoyada contra la pared.

01   El niño va a saltar.
El niño está saltando.
El niño ha saltado.
El niño está nadando.

02   El niño va a saltar por encima de los palos.
El niño está saltando por encima de los palos.
El niño ha saltado por encima de los palos.
El niño está nadando por debajo del agua.

03   Los niños están subiendo al árbol.
Los niños se están deslizando hacia abajo.
El trabajador está subiendo la escalera.
El niño está subiendo por la montaña.

04   Ellos están mirando hacia arriba.
Ellos están mirando hacia abajo.
Él está mirando por la ventana.
Él está mirando la ventana.

05   El vaquero está intentando montar el toro.
El vaquero no puede montar el toro.
El niño está intentando saltar por encima del
potro.
El niño se cayó.

06   El perro tiene un disco volador en la boca.
El perro tiene un sombrero en la boca.
La boca del perro está abierta y vacía.
La boca del perro está cerrada y vacía.

07   El perro está intentando atrapar el disco volador.
El perro ha atrapado el disco volador.
El vaquero está intentando atrapar al ternero.
El vaquero ha atrapado al ternero.

08   El hombre está usando una soga.
La mujer está usando una cámara.
El hombre está usando una pluma.
Las personas están usando una barca.

09   Él está usando una soga para subir por la
montaña.
Ella está usando una cámara para tomar una
fotografía.
Él está usando una pluma para escribir.
Ellos están usando una barca para cruzar el agua.

10   El vaquero está usando un lazo para atrapar al
ternero.
El vaquero está usando un lazo para atar el
ternero.
El vaquero está atrapando al ternero sin usar un
lazo.
El vaquero está levantando el ternero.

01   Yo estoy saltando.
Estoy bebiendo leche.
Me estoy cayendo.
Yo estoy cortando el papel.

02   Yo estoy saltando.
Yo he saltado.
Estoy bebiendo leche.
He bebido leche.

03   Me estoy cayendo.
Me he caído.
Yo estoy cortando el papel.
Yo he cortado el papel.

04   Yo voy a saltar.
Voy a beber leche.
Me voy a caer.
Yo voy a cortar el papel.

05   Yo voy a saltar al agua.
Yo estoy saltando al agua.
Yo he saltado al agua.
Nosotros estamos saltando al agua.

06   Nosotros no vamos a saltar. Él va a saltar.
Nosotros no estamos saltando. Él está saltando.
Nosotros no hemos saltado. Él ha saltado.
Todos nosotros estamos saltando juntos.

07   Voy a saltar. Ellas no van a saltar.
Estoy saltando. Ellas no están saltando.
He saltado. Ellas no han saltado.
Todos nosotros estamos saltando juntos.

08   Me voy a caer.
Me estoy cayendo.
Me he caído.
Voy a saltar.

09   Voy a beber la leche.
Estoy bebiendo la leche.
He bebido la leche.
Voy a comer el pan.

10   Yo voy a comer el pan.
Yo estoy comiendo el pan.
Yo he comido un poco del pan.
Llevo un sombrero.

01   La muchacha está subiéndose en la barca.
El muchacho está saliendo del agua.
El muchacho ha salido del agua.
El muchacho va a salir del agua.

02   Los caballos llevan a personas, pero este caballo
no lleva a nadie.
Este caballo lleva a alguien.
Los aviones vuelan, pero este avión no está
volando.
Los aviones vuelan, y este avión está volando.

03   Los ciclistas se están moviendo rápidamente.
Los ciclistas se están moviendo lentamente.
El avión se está moviendo rápidamente.
El avión se está moviendo lentamente.

04   Es invierno. La nieve está sobre los árboles.
Es verano. Los árboles están verdes.
Es verano. Las personas están en la piscina.
Es otoño. Los árboles están amarillos y las hojas
están en el suelo.

05   Algunas de estas flores son amarillas y las otras
son moradas.
Todas estas flores son amarillas.
Uno de estos patos tiene la cabeza blanca y el
otro tiene la cabeza verde.
Ninguno de estos patos tiene la cabeza blanca.

06   Ninguna de estas personas está bebiendo leche.
Una de estas personas está bebiendo leche.
Ambas personas están bebiendo leche.
Una persona está bebiendo jugo de naranja.

07   El niño está detrás del árbol.
El niño está enfrente del árbol.
El agua está detrás de la leche.
El agua está enfrente de la leche.

08   El avión está volando por encima de las nubes.
El avión está volando por debajo de las nubes.
El avión está volando enfrente de la montaña
cubierta de nieve.
El avión está volando enfrente de la puesta de
sol.

09   El vaquero está usando un lazo para atrapar
al ternero.
El vaquero está usando un lazo para atar
el ternero.
El vaquero está atrapando al ternero sin usar
un lazo.
El vaquero está levantando el ternero.

10   Nosotros no vamos a saltar. Él va a saltar.
Nosotros no estamos saltando. Él está saltando.
Nosotros no hemos saltado. Él ha saltado.
Todos nosotros estamos saltando juntos.

01   El primer número es un dos.
El primer número es un uno.
El primer número es un cuatro.
El primer número es un nueve.

02   El segundo número es un nueve.
El segundo número es un ocho.
El segundo número es un cinco.
El segundo número es un seis.

03   El tercer número es un tres.
El cuarto número es un siete.
El cuarto número es un nueve.
El tercer número es un cero.

04   El último número es un nueve.
El último número es un tres.
El último número es un uno.
El último número es un siete.

05   El primer número es un cero.
El segundo número es un cero.
El tercer número es un cero y el cuarto número
no es un cero.
El tercer número es un cero y el cuarto número
es un cero.

06   Los últimos dos números son un tres.
Los primeros dos números son un dos.
Los últimos dos números son un cero.
Los últimos tres números son un uno.

07   El segundo número y el cuarto número son un
tres.
El primer número y el último número son un
tres.
El tercer número y el último número son un uno.
El primer número y el último número son un
uno.

08   Los primeros dos números son un dos y el
último número es un seis.
Los primeros dos números son un dos y el
último número es un ocho.
El primer número es un dos, el segundo número
es un cinco, el tercer número es un cero, y el
último número es un nueve.
El primer número es un dos, el segundo número
es un cinco, el tercer número es un cero, y el
último número es un siete.

09   La segunda persona y la última persona están
      sentadas.
      La segunda persona y la tercera persona están
      sentadas.
      La primera persona y la cuarta persona están
      sentadas.
      La primera persona y la segunda persona están
      sentadas.

10   La primera persona y la tercera persona están
      de pie.
      La primera persona y la última persona están
      de pie.
      La segunda persona y la tercera persona están
      de pie.
      La tercera persona y la cuarta persona están
      de pie.

01   Yo estoy montando a caballo.
      Ya no estoy montando a caballo.
      Nosotros estamos andando en bicicleta.
      Ya no estamos andando en bicicleta.

02   Estamos corriendo.
      Ya no estamos corriendo.
      Estamos cantando.
      Ya no estamos cantando.

03   Nosotros estamos cantando.
      Nosotros ya no estamos cantando.
      Me estoy vistiendo.
      Ya no me estoy vistiendo.

04   Yo estoy comiendo.
      Estoy hablando por teléfono.
      Soy la mujer que ni habla por teléfono, ni está
      comiendo.
      Soy un hombre que ni habla por teléfono, ni está
      comiendo.

05   Estoy cantando y tocando el piano.
      No estoy cantando ni estoy tocando el piano.
      Estamos tocando el tambor y sonriendo.
      No estamos tocando el tambor ni estamos
      sonriendo.

06   Nosotros dos estamos cantando.
      Ninguno de nosotros está cantando.
      Solamente una de nosotras está cantando.
      Todos los seis estamos cantando.

07   Estoy parado en la acera.
      Ya no estoy parado en la acera.
      Nosotros llevamos paraguas.
      Ninguno de nosotros está parado.

08   Todos los cuatro estamos caminando.
      Hay cuatro de nosotros. Ninguno está
      caminando.
      Todos los tres estamos caminando.
      Hay tres de nosotros. Ninguno está caminando.

09   Los dos estamos cantando.
      Estamos besándonos.
      Ambos estamos hablando.
      Yo estoy parado. Ninguno de mis amigos está
      parado.

10   Ambos llevamos paraguas.
      Ni yo ni el hombre llevamos paraguas.
      Ambos mi hijo y yo llevamos sombreros.
      Mi hijo y yo no llevamos sombreros.

8-03 Parece; casi todos, uno, varios, la mayoría, todos

01   Esto es un cuadrado.
    Esto parece un cuadrado, pero no lo es.
    Esto es un triángulo.
    Esto parece un triángulo, pero no lo es.

02   Estas personas son mujeres.
    Parecen mujeres, pero no lo son. Son maniquíes.
    Estas personas son astronautas.
    Estas personas parecen astronautas, pero no lo son.

03   Todas estas figuras son círculos.
    Todas estas figuras son triángulos.
    Tres de estas figuras son círculos y una es un triángulo.
    Dos de estas figuras son rojas y dos son azules.

04   El círculo negro está arriba a la derecha.
    El círculo negro está arriba a la izquierda.
    El triángulo negro está abajo y a la derecha.
    El triángulo negro está abajo y a la izquierda.

05   Varios círculos son negros.
    Casi todos los círculos son amarillos, pero uno es negro.
    Varios triángulos son negros.
    Casi todos los triángulos son amarillos, pero uno es negro.

06   Casi todos los círculos son amarillos.
    Casi todos los círculos son negros.
    Todos los triángulos son amarillos.
    Casi todos los triángulos son amarillos.

07   Casi todos los círculos son negros.
    Casi todos los círculos son amarillos.
    Un círculo es azul, y los otros son rojos.
    Sólo un círculo es rojo.

08   Casi todos los círculos son amarillos, pero dos son azules.
    Un círculo es negro y los otros son amarillos.
    La mayoría de los círculos son negros y uno es verde.
    La mayoría de los círculos son rojos, y algunos son verdes.

09   Los círculos azules son grandes y los rojos son pequeños.
    Los círculos rojos son grandes y los azules son pequeños.
    Los triángulos están encima de los círculos.
    Los círculos están enfrente de los triángulos.

10   La mayoría de los cuadrados negros son grandes, y todos los blancos son pequeños.
    Todos los cuadrados negros son grandes, y la mayoría de los blancos son pequeños.
    Algunos de los triángulos grandes son verdes, y todos los triángulos pequeños son grises.
    Todos los triángulos grandes son verdes, y algunos de los triángulos pequeños son grises.

01   Saturno
     África
     una mujer
     China

02   Este planeta se llama Saturno.
     Esta persona es una mujer.
     Este país se llama China.
     Este continente se llama África.

03   un planeta
     una persona
     un país
     un continente

04   Este planeta es Saturno.
     Esta persona es una niña.
     Este país coloreado de rojo es el Reino Unido.
     Este continente es América del Norte.

05   Este continente es Asia.
     Este continente es África.
     Este continente es América del Sur.
     Este continente es Europa.

06   Brasil es el país coloreado de rojo en este mapa.
     Argentina es el país coloreado de rojo en este
       mapa.
     Chile es el país coloreado de rojo en este mapa.
     Venezuela es el país coloreado de rojo en este
       mapa.

07   Los Estados Unidos están coloreados de rojo en
       este mapa.
     Canadá está coloreado de rojo en este mapa.
     México está coloreado de rojo en este mapa.
     Japón está coloreado de rojo en este mapa.

08   El país en rojo en este mapa es Nigeria.
     El país en rojo en este mapa es Egipto.
     El país en rojo en este mapa es Argelia.
     El país en rojo en este mapa es Tanzania.

09   Alemania está en Europa. Está coloreada de rojo.
     Italia está en Europa. Está coloreada de rojo.
     La India está en Asia. Está coloreada de rojo.
     Vietnam está en Asia. Está coloreado de rojo.

10   China es el país asiático coloreado de rojo en
       este mapa.
     Corea es el país asiático coloreado de rojo en
       este mapa.
     España es el país europeo coloreado de rojo en
       este mapa.
     Rusia está coloreada de rojo en este mapa. Rusia
       está en ambas Europa y Asia.

01   Los carros están circulando por la calle.
     Los carros están estacionados en la calle.
     Las personas están paradas en la acera.
     Las personas están caminando por la acera.

02   El carro está en la calle.
     El carro está en la autopista.
     El puente cruza la autopista.
     El puente cruza el agua.

03   Dos puentes cruzan por encima de la carretera.
     Hay un carro en la carretera que va por entre los
       árboles.
     La carretera va hacia la casa.
     La carretera va hacia la montaña.

04   Las personas están cruzando las vías del
       ferrocarril.
     Las personas están paradas al lado de las vías del
       ferrocarril.
     El hombre está cruzando la calle.
     El hombre está parado en la calle.

05   ¿Qué personas están andando en bicicleta en la
       acera?
     ¿Qué personas están andando en bicicleta en la
       carretera?
     Algunas personas están montando a caballo. No
       están andando ni en la acera ni en la carretera.
     ¿Qué personas están en la acera sin montar a
       caballo ni andar en bicicleta?

06   Los gansos están cruzando la acera.
     La acera está vacía.
     El hombre está cruzando la calle en bicicleta.
     El hombre está cruzando la calle en una silla de
       ruedas.

07   Los gansos están atravesando la acera.
     Él está atravesando la calle corriendo.
     Él está atravesando la calle en una bicicleta.
     Él está atravesando la calle en una silla de
       ruedas.

08   Hay un callejón entre los dos edificios.
     La vía del tren cruza por encima de la calle.
     El autobús está circulando por la acera.
     El autobús está circulando por el puente.

09   El hombre está barriendo la calle con una
       escoba.
     El tractor está barriendo la carretera.
     El hombre está cavando una zanja en la calle.
     La máquina está cavando una zanja en la calle.

10 La carretera está llena de personas andando en
   bicicleta.
   La calle está llena de personas corriendo.
   La calle está casi vacía.
   La acera está llena de personas.

01 Alguien lleva un suéter gris.
   Alguien lleva una camiseta azul.
   Las niñas llevan faldas negras.
   El niño tiene un perro negro.

02 El suéter de alguien es gris.
   La camiseta de alguien es azul.
   Las faldas de las niñas son negras.
   El perro del niño es negro.

03 Esta camisa pertenece al hombre.
   Esta camisa no pertenece al hombre.
   Los tambores pertenecen al hombre.
   El perro pertenece al niño.

04 Este sombrero pertenece a la mujer.
   Este sombrero no pertenece a la mujer.
   Esta camisa no pertenece al niño.
   Esta camisa pertenece al niño.

05 El perro pertenece al niño. Es la mascota del
   niño.
   El perro pertenece a la mujer. Es la mascota de
   la mujer.
   El oso no pertenece a nadie. No es una mascota.
   La vaca pertenece a un granjero, pero no es la
   mascota del granjero.

06 Este animal es una mascota grande.
   Este animal es una mascota pequeña.
   Este animal no es una mascota, pero es un
   animal de verdad.
   Este animal no es de verdad.

07 un sombrero de mujer
   un sombrero de hombre
   Esta chaqueta pertenece al niño.
   Esta chaqueta no pertenece al niño.

08 La mujer está acariciando su perro.
   La niña está acariciando su perro.
   El hombre está acariciando el gato.
   El hombre está acariciando su perro.

09 El paraguas del hombre es negro.
   Los paraguas de los hombres son negros.
   El vestido de la mujer es azul.
   Los vestidos de las mujeres son azules.

10 el perro del niño
   el padre del niño
   el padre de la niña
   la madre de la niña

8-07   Adjetivos comparativos y superlativos; palabras interrogativas

01   La mujer es mayor que el hombre.
El hombre es mayor que la mujer.
El niño es más alto que la niña.
La niña es más alta que el niño.

02   una mujer joven
una mujer mayor, pero no la mayor de todas
la mujer mayor de todas
un niño muy pequeño

03   el niño mayor de todos
un niño pequeño, pero no el más pequeño de
todos
el niño más pequeño de todos
Él es mayor que todos los niños. Él es un
hombre.

04   Este avión está volando más alto que todos.
Este avión está volando bajo, cerca del suelo.
Este avión está volando bajo, pero no más bajo
que todos.
Este avión no está volando. Está en el suelo.

05   ¿Qué perro tiene el color más oscuro?
¿Qué perro tiene el hocico más corto?
¿Qué perro tiene el color más claro?
¿Qué perro va más rápido?

06   ¿Qué muchacho parece el más feliz?
¿Qué muchacho parece el más triste?
¿Qué muchacho está corriendo más rápido?
¿Qué muchacha tiene el pelo más largo?

07   Este perro tiene menos manchas que el otro
perro.
Este perro tiene más manchas que el otro perro.
Este leopardo tiene más manchas que cualquiera
de los perros.
Este tigre tiene rayas, pero no manchas.

08   Este animal tiene el menor número de manchas.
Este animal tiene más manchas, pero no el
mayor número de manchas.
Este animal tiene el mayor número de manchas.
Este animal tiene más rayas que manchas.

09   Es peligroso saltar de un caballo a un ternero.
Los soldados disparan y eso es peligroso.
Montar a caballo no es muy peligroso.
Estar sentado en la casa no es peligroso en
absoluto.

10   ¿Quién está volando más alto?
¿Quiénes están corriendo más rápido?
¿Quién se está mojando más?
¿Quién se está enfriando más?

8-08   Cerca y lejos; comparación de adjetivos

01   El avión está en el suelo.
El avión está cerca del suelo.
El avión está lejos del suelo.
El barco está en el agua.

02   Los corredores están cerca el uno del otro.
Las corredoras están lejos la una de la otra.
Los aviones están volando cerca el uno del otro.
Los aviones están volando lejos el uno del otro.

03   Las ovejas están cerca la una de la otra.
La oveja está sola.
Las vacas están cerca la una de la otra.
Las vacas están lejos la una de la otra.

04   Las personas están caminando cerca la una de la
otra.
Las personas están caminando lejos la una de la
otra.
Las personas están sentadas cerca la una de la
otra.
Las personas están sentadas lejos la una de la
otra.

05   El niño de blanco está cerca del niño de azul.
El niño de blanco no está cerca del niño de azul.
La cometa está cerca del hombre.
La cometa está lejos del hombre.

06   El incendio está cerca.
El incendio está lejos.
El caballo está cerca.
El caballo está lejos.

07   El castillo está cerca de las casas.
El fuerte está lejos de todas las casas.
El hombre está cerca del agua.
El hombre está lejos del agua.

08   En esta foto hay dos vaqueros que están cerca el
uno del otro.
En esta foto hay dos vaqueros que están lejos el
uno del otro.
una cara que está cerca
una cara que está lejos

09   El carro está más cerca que el hombre.
El hombre está más cerca que el carro.
El carro rojo está más cerca que el carro
amarillo.
El carro rojo está más lejos que el carro amarillo.

10   El hombre está más lejos que el carro.
El carro está más lejos que el hombre.
El carro amarillo está más lejos que el carro rojo.
El carro amarillo está más cerca que el carro
rojo.

8-09 Localizaciones; preposiciones

01 un banco
un restaurante
un aeropuerto
un parque infantil

02 La biblioteca está al lado del banco.
La iglesia está al lado del banco.
El hospital está al lado del parque infantil.
La gasolinera está al lado del parque infantil.

03 La sinagoga está enfrente del restaurante.
La zapatería está enfrente del restaurante.
La farmacia está enfrente de la gasolinera.
El supermercado está enfrente de la gasolinera.

04 El hotel está al lado del hospital.
El hotel está enfrente del hospital.
El parque infantil está al lado del hospital.
El parque infantil está enfrente del hospital.

05 La panadería está a la vuelta de la esquina del
banco.
El cine está a la vuelta de la esquina del banco.
La panadería está a una cuadra del banco.
El cine está a una cuadra del banco.

06 La parada del metro está enfrente del banco.
La parada del metro está al lado del banco.
La parada del metro está a la vuelta de la esquina
del banco.
La parada del metro está a una cuadra del banco.

07 La iglesia está a la vuelta de la esquina del
parque infantil.
La sinagoga está al lado del parque infantil.
La mezquita está enfrente del parque infantil.
El templo hindú está calle abajo del parque
infantil.

08 La panadería está al lado del banco.
La prisión está al lado del banco.
La estación de policía está a la vuelta de la
esquina del banco.
La estación de policía está al lado del banco.

09 La fábrica está al lado de la estación de tren.
La universidad está al lado del parque infantil.
El restaurante está al lado de la estación de tren.
El hospital está al lado del parque infantil.

10 El aeropuerto está al lado de la fábrica.
La panadería está enfrente del hotel.
La panadería está enfrente del cine.
La universidad está enfrente del hotel.

8-10 Direcciones

01 ¿Cómo llego a la estación de tren?
Vaya hasta el banco y doble a la derecha. Siga
una cuadra.

¿Cómo llego a la estación de tren?
Vaya hasta el banco y doble a la izquierda. Siga
una cuadra.

¿Cómo llego a la estación de tren?
Vaya hasta la biblioteca y doble a la izquierda.
Siga dos cuadras.

¿Cómo llego a la estación de tren?
Vaya hasta la biblioteca y doble a la derecha.
Siga una cuadra.

02 ¿Cómo llego a la estación de policía?
Vaya hasta la iglesia y doble a la derecha. Siga
cuatro cuadras. Ahí está la estación de policía.

¿Cómo llego a la estación de policía?
Vaya hasta la iglesia y doble a la izquierda. Siga
cuatro cuadras. Ahí está la estación de policía.

¿Cómo llego a la estación de policía?
Vaya hasta la iglesia y doble a la derecha. Siga
dos cuadras. Ahí está la estación de policía.

¿Cómo llego a la estación de policía?
Vaya hasta la iglesia y doble a la izquierda. Siga
dos cuadras. Ahí está la estación de policía.

03 ¿Cómo llego al hospital?
Siga dos cuadras hasta el restaurante. Doble a la
derecha y siga tres cuadras. Ahí está el hospital.

¿Cómo llego al hospital?
Siga cuatro cuadras hasta el restaurante. Doble a
la derecha y siga una cuadra. Ahí está el
hospital.

¿Cómo llego al hospital?
Siga tres cuadras hasta el restaurante. Doble a la
izquierda y siga tres cuadras. Ahí está el
hospital.

¿Cómo llego al hospital?
Siga cuatro cuadras hasta el restaurante. Doble a
la izquierda y siga una cuadra. Ahí está el
hospital.

04 ¿Cómo llego a la parada del metro?
Siga dos cuadras hasta la panadería. Doble a la
izquierda y siga dos cuadras. La parada del
metro está a la izquierda.

¿Cómo llego a la parada del metro?
Siga dos cuadras hasta la panadería. Doble a la
izquierda y siga dos cuadras. La parada del
metro está a la derecha.

¿Cómo llego a la parada del metro?
Siga tres cuadras hasta el hotel. Doble a la
derecha y siga dos cuadras. La parada del metro
está a la derecha.

¿Cómo llego a la parada del metro?
Siga tres cuadras hasta el hotel. Doble a la
derecha y siga dos cuadras. La parada del metro
está a la izquierda.

05   ¿Cómo llego al parque infantil?
Siga dos cuadras hasta la mezquita y doble a la
izquierda. Siga tres cuadras. El parque infantil
está a la derecha.

¿Cómo llego al parque infantil?
Siga tres cuadras hasta la mezquita y doble a la
izquierda. Siga dos cuadras. El parque infantil
está a la derecha.

¿Cómo llego al parque infantil?
Siga recto cuatro cuadras. A la izquierda está el
parque infantil.

¿Cómo llego al parque infantil?
Siga recto cuatro cuadras. A la derecha está el
parque infantil.

06   ¿Cómo llego a la estación de tren?
Siga calle abajo pasada la escuela. Cuando llegue
a la estación de policía doble a la derecha. Siga
dos cuadras y ahí está la estación de tren.

¿Cómo llego a la estación de tren?
Siga calle abajo pasada la escuela. Cuando llegue
a la estación de policía doble a la izquierda.
Siga dos cuadras y ahí está la estación de tren.

¿Cómo llego a la estación de tren?
Siga calle abajo pasado el hospital. Cuando
llegue a la estación de policía doble a la
derecha. Siga dos cuadras y ahí está la estación
de tren.

¿Cómo llego a la estación de tren?
Siga calle abajo pasado el hospital. Cuando
llegue a la estación de policía doble a la
izquierda. Siga dos cuadras y ahí está la
estación de tren.

07   ¿Cómo llego a la universidad?
Siga calle abajo pasada la iglesia a la izquierda.
Vaya hasta la gasolinera y doble a la izquierda.
Siga dos cuadras y ahí a la derecha está la
universidad.

¿Cómo llego a la universidad?
Siga calle abajo pasada la iglesia a la derecha.
Vaya hasta la gasolinera y doble a la izquierda.
Siga dos cuadras y ahí a la derecha está la
universidad.

¿Cómo llego a la universidad?
Siga calle abajo pasado el hospital a la izquierda.
Vaya hasta la gasolinera y doble a la izquierda.
Siga dos cuadras y ahí a la derecha está la
universidad.

¿Cómo llego a la universidad?
Siga calle abajo pasado el hospital a la derecha.
Vaya hasta la gasolinera y doble a la izquierda.
Siga dos cuadras y ahí a la derecha está la
universidad.

08   ¿Cómo llego a la iglesia?
Siga calle abajo pasada la biblioteca hasta la
escuela. Doble a la derecha y siga dos cuadras y
ahí está la iglesia.

¿Cómo llego a la iglesia?
Siga calle abajo pasado el parque infantil hasta la
zapatería. Doble a la derecha y siga dos cuadras
y ahí está la iglesia.

¿Cómo llego a la iglesia?
Siga calle abajo pasada la escuela hasta la
biblioteca. Doble a la derecha y siga dos
cuadras y ahí está la iglesia.

¿Cómo llego a la iglesia?
Siga calle abajo pasada la zapatería hasta el
parque infantil. Doble a la derecha y siga dos
cuadras y ahí está la iglesia.

09   ¿Cómo puedo llegar a la gasolinera?
La calle a la gasolinera está cerrada. Dé la
vuelta, regrese y doble a la derecha. Siga una
cuadra y doble a la derecha. Siga cuatro cuadras
y doble a la derecha. Siga una cuadra y doble a
la derecha y ahí está la gasolinera.

¿Cómo puedo llegar a la gasolinera?
La calle a la gasolinera está cerrada. Dé la
vuelta, regrese y doble a la izquierda. Siga una
cuadra y doble a la izquierda. Siga cuatro
cuadras y doble a la izquierda. Siga una cuadra
y doble a la izquierda y ahí a la derecha está la
gasolinera.

¿Cómo puedo llegar a la gasolinera?
La calle a la gasolinera está cerrada. Dé la
vuelta, regrese y doble a la derecha. Siga una
cuadra y doble a la derecha. Siga cuatro cuadras
y doble a la derecha. Siga una cuadra y doble a
la izquierda y ahí está la gasolinera.

¿Cómo puedo llegar a la gasolinera?
La calle a la gasolinera está cerrada. Dé la
vuelta, regrese y doble a la izquierda. Siga una
cuadra y doble a la izquierda. Siga cuatro
cuadras y doble a la izquierda. Siga una cuadra
y doble a la izquierda y ahí a la izquierda está la
gasolinera.

10 ¿Cómo llego al hospital?
Siga calle abajo hasta la bifurcación. Doble a la derecha.

¿Cómo llego al hospital?
Siga calle abajo hasta la bifurcación. Doble a la izquierda.

¿Cómo llego al hospital?
Siga calle abajo hasta el final. Doble a la izquierda. Siga cuatro cuadras y ahí a la izquierda está el hospital.

¿Cómo llego al hospital?
Siga calle abajo hasta el final. Doble a la derecha. Siga cuatro cuadras y ahí a la derecha está el hospital.

8-11 Actividades; más verbos

01 Estamos en una carrera de bicicletas.
Estábamos en una carrera de bicicletas.
Tengo un sombrero en la cabeza.
Yo tenía un sombrero en la cabeza.

02 Estoy leyendo.
Estaba leyendo.
Estoy pescando.
Estaba pescando.

03 Yo estoy saltando a la soga. Los niños están sosteniendo la soga.
Estábamos saltando a la soga.
Yo estoy bebiendo.
Yo estaba bebiendo.

04 Mis hijos y yo estamos cavando.
Mis hijos y yo estábamos cavando.
Estoy subiendo la escalera.
He subido la escalera.

05 Yo llevo una camisa que es demasiado pequeña.
Yo llevaba una camisa que era demasiado pequeña.
Yo llevo mi propia camisa.
Yo llevo la camisa que llevaba mi padre.

06 Estoy tocando la guitarra.
Yo estaba tocando la guitarra.
Yo estoy sosteniendo la guitarra.
Yo estaba sosteniendo la guitarra, pero ahora la tiene el niño.

07 Yo voy a levantar el gato.
Yo estoy levantando el gato.
He levantado el gato y lo estoy sosteniendo en mis brazos.
Estoy leyendo el periódico.

08 Me voy a poner el vestido.
Me estoy poniendo el vestido.
Me he puesto el vestido.
Me estoy poniendo una camisa.

09 Me voy a echar agua sobre la cabeza.
Me estoy echando agua sobre la cabeza.
Voy a leer el libro.
Estoy leyendo el libro.

10 Vamos a correr.
Estamos corriendo.
Hemos corrido.
Estoy corriendo.

01 El segundo número y el cuarto número son
un tres.
El primer número y el último número son
un tres.
El tercer número y el último número son un uno.
El primer número y el último número son
un uno.

02 Estoy cantando y tocando el piano.
No estoy cantando ni estoy tocando el piano.
Estamos tocando el tambor y sonriendo.
No estamos tocando el tambor ni estamos
sonriendo.

03 La mayoría de los cuadrados negros son grandes,
y todos los blancos son pequeños.
Todos los cuadrados negros son grandes, y la
mayoría de los blancos son pequeños.
Algunos de los triángulos grandes son verdes, y
todos los triángulos pequeños son grises.
Todos los triángulos grandes son verdes, y
algunos de los triángulos pequeños son grises.

04 China es el país asiático coloreado de rojo en
este mapa.
Corea es el país asiático coloreado de rojo en
este mapa.
España es el país europeo coloreado de rojo en
este mapa.
Rusia está coloreada de rojo en este mapa. Rusia
está en ambas Europa y Asia.

05 Dos puentes cruzan por encima de la carretera.
Hay un carro en la carretera que va por entre los
árboles.
La carretera va hacia la casa.
La carretera va hacia la montaña.

06 El perro pertenece al niño. Es la mascota del
niño.
El perro pertenece a la mujer. Es la mascota de
la mujer.
El oso no pertenece a nadie. No es una mascota.
La vaca pertenece a un granjero, pero no es la
mascota del granjero.

07 Este avión está volando más alto que todos.
Este avión está volando bajo, cerca del suelo.
Este avión está volando bajo, pero no más bajo
que todos.
Este avión no está volando. Está en el suelo.

08 Las personas están caminando cerca la una
de la otra.
Las personas están caminando lejos la una
de la otra.
Las personas están sentadas cerca la una
de la otra.
Las personas están sentadas lejos la una
de la otra.

09 ¿Cómo llego a la universidad?
Siga calle abajo pasada la iglesia a la izquierda.
Vaya hasta la gasolinera y doble a la izquierda.
Siga dos cuadras y ahí a la derecha está la
universidad.

¿Cómo llego a la universidad?
Siga calle abajo pasada la iglesia a la derecha.
Vaya hasta la gasolinera y doble a la izquierda.
Siga dos cuadras y ahí a la derecha está la
universidad.

¿Cómo llego a la universidad?
Siga calle abajo pasado el hospital a la izquierda.
Vaya hasta la gasolinera y doble a la izquierda.
Siga dos cuadras y ahí a la derecha está la
universidad.

¿Cómo llego a la universidad?
Siga calle abajo pasado el hospital a la derecha.
Vaya hasta la gasolinera y doble a la izquierda.
Siga dos cuadras y ahí a la derecha está la
universidad.

10 Yo llevo una camisa que es demasiado pequeña.
Yo llevaba una camisa que era demasiado
pequeña.
Yo llevo mi propia camisa.
Yo llevo la camisa que llevaba mi padre.

EL ALFABETO

El Alfabeto

A	a
B	b
C	c
CH	ch
D	d
E	e
F	f
G	g
H	h
I	i
J	j
K	k
L	l
LL	ll
M	m
N	n
Ñ	ñ
O	o
P	p
Q	q
R	r
S	s
T	t
U	u
V	v
X	x
Y	y
Z	z

ÍNDICE

Índice

En este índice, cada palabra está seguida por la Parte y la Lección en que aparece. El número de veces que aparece la palabra en cada lección está entre paréntesis.

In this index, each word is followed by the Unit and Lesson in which it occurs. The number of times that the word appears in the lesson is enclosed in parentheses.

Dans cet index, chaque mot est suivi de la Partie et de la Leçon correspondantes. Le nombre de fois où le mot apparaît dans chaque leçon est indiqué entre parenthèses.

In diesem Index steht nach jedem Wort der Teil mit der Lektion, in der das Wort vorkommt. In Klammern wird angegeben, wie oft ein Wort in einer Lektion auftritt.

In deze index staan achter ieder woord de hoofdstukken en lessen vermeld, waarin het woord voorkomt. Het aantal keren dat het woord in een les voorkomt, staat tussen haakjes.

この索引では、各単語の後にそれが出てくる
ユニット、レッスンが記されています。
又、ユニット、レッスンに出てくる各単語の
使用回数はカッコの中に記されています。

a	1-06 (2), 2-01 (1), 2-05 (2), 2-06 (3), 2-09 (3), 2-10 (10), 2-11 (2)…	alas	5-03 (1), 7-02 (6)
abajo	7-01 (2), 7-03 (1), 7-09 (1), 7-10 (2), 8-03 (2), 8-09 (1), 8-10 (16), 8-12 (4)	alcanzando	4-06 (1), 7-09 (1)
		Alemania	8-04 (1)
		alfombra	6-03 (1)
abierta	4-02 (6), 6-01 (2), 7-10 (1)	algo	2-05 (2), 4-08 (4), 4-11 (1), 5-05 (1), 5-10 (2), 6-02 (2), 7-04 (1)
abiertas	4-02 (1)	alguien	3-07 (2), 4-08 (17), 4-09 (1), 4-11 (2), 5-02 (1), 5-05 (3), 5-08 (5), 6-06 (1), 6-08 (1), 6-10 (1), 6-11 (1), 7-02 (1), 7-03 (1), 7-06 (1), 7-08 (5), 7-12 (1), 8-06 (4)
abierto	5-03 (2)	
abiertos	4-02 (4)	
abrazando	5-03 (1)	
abrazar	5-03 (1)	
abrigo	1-09 (2), 3-03 (1)	algunas	6-06 (2), 7-05 (13), 7-12 (1), 8-05 (1)
abrir	5-03 (1), 7-01 (1)	algunos	7-05 (1), 8-03 (3), 8-12 (2)
absoluto	4-04 (1), 7-03 (1), 8-07 (1)	alimento	1-08 (4), 5-07 (8)
acaban	6-07 (1)	alrededor	2-08 (2), 5-03 (1), 7-07 (6)
acariciando	8-06 (4)	alta	3-01 (1), 8-07 (1)
accidente	4-09 (3)	alto	3-01 (4), 3-11 (2), 8-07 (3), 8-12 (1)
acera	6-05 (4), 6-10 (1), 8-02 (2), 8-05 (10)	amanecer	7-04 (1)
acerca	4-04 (4)	amarilla	1-03 (1), 1-07 (1), 1-09 (1), 2-01 (1), 2-05 (2), 3-03 (1), 3-05 (1), 3-11 (1), 4-04 (1), 5-06 (1), 7-05 (1)
acostada	2-01 (1), 2-07 (1)	
acostadas	7-09 (2)	
acostado	2-07 (1), 3-04 (2), 3-06 (1), 3-11 (2), 4-01 (1), 4-04 (1), 4-08 (1)	amarillas	1-08 (2), 2-05 (2), 3-05 (2), 3-11 (1), 7-04 (1), 7-05 (8), 7-07 (1), 7-12 (2)
adentro	3-04 (5), 3-11 (1), 6-01 (2)	amarillo	1-03 (4), 1-06 (3), 1-07 (5), 1-10 (1), 2-04 (9), 3-03 (1), 3-05 (4), 4-01 (4), 4-08 (3), 4-09 (1), 8-08 (4)
adulta	2-02 (4)	
adultas	2-02 (1)	
adulto	2-02 (3), 2-11 (1), 5-02 (1)	amarillos	4-08 (1), 4-09 (1), 7-04 (1), 7-05 (2), 7-07 (2), 7-12 (1), 8-03 (8)
adultos	2-02 (4), 5-02 (1), 7-09 (1)	
aeropuerto	8-09 (2)	ambas	1-09 (1), 1-10 (1), 2-05 (1), 2-11 (1), 6-05 (1), 6-12 (1), 7-01 (1), 7-05 (5), 7-06 (5), 7-12 (1), 8-04 (1), 8-12 (1)
África	8-04 (3)	
afuera	3-04 (5), 3-11 (1), 6-01 (1), 6-11 (1)	
agarrando	2-01 (4), 5-05 (2)	ambos	6-05 (1), 7-05 (2), 8-02 (3)
agarrar	7-01 (2)	América del Sur	8-04 (1)
agua	1-08 (2), 2-10 (6), 3-05 (1), 4-01 (1), 4-04 (2), 4-05 (2), 4-06 (1), 4-08 (4), 4-09 (2), 4-11 (3), 5-05 (2), 5-06 (1), 5-09 (2), 6-01 (2), 6-02 (2), 6-08 (2), 7-01 (3), 7-03 (2), 7-07 (2), 7-08 (4), 7-10 (2), 7-11 (4), 7-12 (5), 8-05 (1), 8-08 (3), 8-11 (2)	América del Norte	
			8-04 (1)
		ametralladoras	7-02 (4)
		amiga	6-10 (3), 6-12 (1)
		amigos	4-10 (4), 6-05 (1), 6-10 (1), 8-02 (1)
		anaranjado	1-06 (1), 3-05 (1)
		andando	1-06 (1), 2-01 (2), 2-06 (2), 2-07 (4), 4-01 (1), 4-10 (6), 5-05 (1), 7-03 (1), 7-09 (4), 8-02 (2), 8-05 (4)
agujas	7-02 (1)	
ahí	8-10 (26), 8-12 (4)	
ahora	4-04 (1), 4-11 (1), 6-01 (1), 6-06 (2), 7-02 (3), 7-03 (1), 8-11 (1)	andar	8-05 (1)
		animal	2-02 (12), 2-03 (2), 2-11 (2), 5-07 (7), 5-12 (1), 7-02 (4), 7-03 (4), 7-05 (1), 7-06 (4), 8-06 (5), 8-07 (4)
aire	7-02 (1)	
ajedrez	4-04 (1), 6-09 (1), 6-12 (1)	
al	1-02 (2), 2-01 (1), 2-08 (7), 2-10 (6), 2-11 (2), 4-01 (3), 4-04 (1)…	animales	2-02 (2), 5-07 (4), 5-09 (2), 5-12 (1), 7-05 (3), 7-06 (8)

63

anteojos	1-09 (2), 2-08 (2), 3-01 (4), 3-03 (2), 3-11 (6), 4-10 (2), 6-04 (2), 7-02 (1)
antiguo	4-09 (1)
años	6-07 (4)
aparcada	4-09 (1)
apoyada	7-09 (1)
apoyadas	7-09 (1)
aquí	1-10 (2)
árbol	2-08 (2), 4-08 (1), 5-06 (2), 6-07 (4), 7-04 (4), 7-07 (2), 7-08 (2), 7-10 (1), 7-12 (2)
árboles	5-06 (2), 5-07 (1), 7-04 (10), 7-12 (3), 8-05 (1), 8-12 (1)
arbustos	5-07 (1), 6-10 (2)
arena	4-10 (2), 5-09 (2), 5-12 (2)
Argelia	8-04 (1)
Argentina	8-04 (1)
armario	5-08 (1)
armas	4-06 (2), 7-02 (2), 7-09 (2)
arreglando	5-05 (1)
arriba	7-01 (2), 7-09 (1), 7-10 (1), 8-03 (2)
Asia	8-04 (4), 8-12 (1)
asiático	8-04 (2), 8-12 (2)
astronautas	7-02 (1), 7-03 (1), 8-03 (2)
atando	5-10 (1), 5-12 (1)
atar	7-10 (1), 7-12 (1)
atardecer	7-04 (1)
atrapado	5-03 (1), 7-10 (2)
atrapando	7-10 (1), 7-12 (1)
atrapar	5-03 (1), 7-10 (3), 7-12 (1)
atravesando	8-05 (4)
autobús	8-05 (2)
autopista	8-05 (2)
ave	1-02 (2)
avergonzado	3-08 (2), 6-11 (2)
aves	7-02 (1), 7-05 (1)
avión	1-01 (3), 1-02 (1), 1-10 (1), 1-11 (1), 2-06 (5), 2-07 (1), 2-08 (2), 4-04 (2), 4-05 (2), 4-08 (6), 6-01 (2), 7-02 (2), 7-03 (2), 7-04 (2), 7-09 (4), 7-12 (8), 8-07 (4), 8-08 (3), 8-12 (4)
aviones	7-02 (3), 7-12 (2), 8-08 (2)
avioneta	1-01 (6), 1-03 (2), 1-07 (2), 1-11 (1)
aviso	2-05 (4)
azul	1-03 (4), 1-06 (3), 1-07 (5), 1-09 (4), 1-10 (7), 1-11 (1), 2-03 (1), 2-04 (7), 2-11 (2), 3-03 (7), 3-05 (3), 4-04 (1), 4-08 (2), 5-06 (1), 5-11 (1), 6-01 (2),

	7-01 (4), 7-07 (2), 8-03 (1), 8-06 (3), 8-08 (2)
azules	7-05 (2), 7-07 (1), 8-03 (4), 8-06 (1)
bailando	1-02 (3), 1-05 (2), 1-10 (2), 2-07 (4), 4-06 (2), 4-08 (1)
bailarinas	3-01 (1)
bailarines	3-01 (1)
baja	3-01 (3), 3-11 (2)
bajada	4-09 (1)
bajado	4-05 (1), 5-03 (1), 6-02 (1), 6-07 (1)
bajando	4-05 (5), 6-02 (2), 6-07 (1), 6-09 (1), 6-10 (2), 7-09 (4)
bajándose	4-05 (3)
bajar	6-02 (1)
bajo	3-01 (2), 8-07 (3), 8-12 (3)
balancín	3-06 (1)
banana	3-02 (2), 6-04 (1), 6-09 (1)
bananas	1-08 (2), 1-10 (1), 1-11 (1), 2-08 (1), 3-02 (3), 5-07 (2), 6-04 (1), 6-09 (3)
banco	3-08 (2), 5-08 (1), 5-10 (1), 6-11 (2), 8-09 (15), 8-10 (2)
bandeja	5-09 (2)
banderas	6-09 (2)
baño	1-09 (2)
barba	6-03 (14)
barbilla	2-09 (1), 2-11 (1)
barca	1-01 (1), 1-10 (1), 7-01 (1), 7-10 (2), 7-12 (1)
barco	2-03 (2), 2-11 (2), 4-09 (4), 4-11 (1), 8-08 (1)
barcos	4-09 (1)
barriendo	8-05 (2)
batiendo	5-03 (1), 7-02 (1)
bebé	1-05 (1), 2-07 (1), 4-05 (4), 4-11 (2)
beber	2-10 (1), 7-11 (2)
bebés	1-05 (1)
bebida	5-06 (2)
bebido	2-10 (1), 7-11 (2)
bebiendo	1-08 (11), 1-10 (5), 2-01 (1), 2-06 (2), 2-10 (1), 4-01 (1), 4-04 (2), 4-06 (2), 4-11 (4), 5-05 (2), 5-11 (2), 6-06 (2), 7-01 (1), 7-06 (11), 7-11 (3), 7-12 (4), 8-11 (2)
besa	6-08 (2)
besando	4-05 (2), 4-06 (3), 6-02 (1), 6-05 (1), 6-08 (3)
besándonos	8-02 (1)
besándose	6-05 (1)

besar	6-02 (1), 6-08 (1)		2-09 (1), 2-10 (5), 3-02 (2), 3-05 (6),
biblioteca	8-09 (1), 8-10 (4)		3-06 (5), 3-09 (3), 4-01 (4), 4-05 (2),
bicicleta	1-05 (3), 1-10 (1), 2-01 (2), 2-06 (2),		4-06 (6), 4-08 (2), 4-11 (2), 5-02 (4),
	2-07 (5), 2-08 (7), 4-01 (3), 4-06 (1),		5-03 (4), 6-05 (2), 6-08 (5), 7-02 (2),
	4-09 (2), 4-10 (6), 5-03 (1), 5-05 (3),		7-03 (6), 7-05 (1), 7-06 (5), 7-12 (2),
	5-09 (2), 6-05 (2), 6-08 (2), 7-09 (1),		8-02 (2), 8-05 (2), 8-07 (2), 8-08 (2)
	8-02 (2), 8-05 (6)	caballos	1-05 (1), 1-11 (1), 3-02 (6), 3-11 (2),
bicicletas	1-05 (1), 2-07 (1), 5-09 (2), 6-01 (4),		4-02 (2), 4-05 (1), 5-07 (1), 7-01 (5),
	6-06 (2), 7-02 (1), 7-03 (1), 7-09 (3),		7-02 (1), 7-05 (2), 7-06 (1), 7-12 (1)
	8-11 (2)	cabeza	2-07 (2), 2-09 (3), 3-09 (4), 5-10 (1),
bifurcación	8-10 (2)		5-11 (1), 5-12 (1), 6-01 (4), 6-06 (2),
bigote	6-03 (8)		6-08 (2), 7-05 (3), 7-09 (3), 7-12 (3),
blanca	1-03 (1), 1-07 (3), 1-09 (6), 1-10 (1),		8-11 (4)
	1-11 (2), 2-01 (1), 2-03 (1), 3-03 (1),	cabras	3-06 (1)
	3-04 (2), 4-09 (1), 5-02 (1), 5-03 (2),	caer	2-10 (1), 5-03 (1), 7-11 (2)
	6-03 (9), 7-05 (2), 7-12 (2)	caído	2-10 (3), 6-01 (1), 6-02 (1),
blancas	3-05 (1), 3-11 (1), 7-05 (6), 7-08 (2)		6-08 (1), 7-11 (2)
blanco	1-03 (5), 1-05 (1), 1-07 (10), 1-09	caja	2-03 (2), 2-11 (2), 4-10 (2),
	(5), 1-10 (2), 1-11 (3), 2-01 (1), 2-04		5-03 (1), 6-01 (2)
	(2), 2-06 (8), 3-03 (2), 3-05 (5), 3-06	cajas	1-08 (1), 1-11 (1), 5-05 (2),
	(5), 4-08 (5), 4-09 (1), 5-02 (1), 5-06		6-04 (2)
	(1), 6-05 (2), 7-01 (1), 7-02 (2), 7-04	calcetín	3-03 (2)
	(2), 7-05 (2), 7-07 (2), 8-08 (2)	calcetines	1-09 (2), 3-03 (1), 5-02 (1)
blancos	1-05 (1), 1-09 (2), 1-11 (1), 5-02 (1),	caliente	5-06 (7)
	7-04 (2), 8-03 (2), 8-12 (2)	calle	6-02 (2), 7-03 (1), 8-05 (16), 8-09
blusa	1-09 (3), 1-10 (1), 1-11 (2), 3-04 (2)		(1), 8-10 (20), 8-12 (4)
boca	2-09 (7), 2-11 (1), 3-09 (1), 4-02 (7),	callejón	8-05 (1)
	5-03 (2), 5-10 (1), 6-01 (4), 7-01 (1),	calor	3-07 (5), 3-08 (1), 3-11 (1), 5-06 (5),
	7-10 (4)		5-11 (3), 6-11 (1), 7-04 (1)
bola	7-01 (2)	calvo	3-01 (1), 5-11 (1), 6-03 (3)
bolsa	6-02 (2), 6-04 (10), 6-12 (3)	cama	5-08 (2)
bolsas	1-08 (1), 1-11 (1), 6-04 (1)	cámara	7-10 (2)
bolsillo	5-03 (1), 5-12 (1)	camarero	3-08 (1), 6-11 (1)
bolsillos	5-10 (1)	camello	3-06 (2), 5-03 (2)
bostezando	5-10 (2), 6-06 (4)	camellos	7-02 (1)
botas	6-04 (2)	caminando	1-02 (4), 1-05 (2), 1-11 (4), 2-01 (1),
botella	6-04 (5)		2-06 (3), 2-07 (4), 3-06 (3), 4-01 (5),
Brasil	8-04 (1)		4-06 (2), 4-10 (4), 5-03 (3), 5-09 (1),
brazo	3-09 (2)		6-05 (4), 6-10 (2), 7-03 (1), 7-08 (5),
brazos	2-09 (3), 3-09 (7), 4-02 (3), 5-10 (1),		8-02 (4), 8-05 (1), 8-08 (2), 8-12 (2)
	6-08 (1), 6-12 (1), 8-11 (1)	camión	2-03 (1), 2-08 (1), 4-05 (2), 4-06 (1),
brilla	5-06 (2)		4-09 (7), 4-11 (3), 6-01 (2), 6-12 (2)
bufandas	5-06 (1)	camión-grúa	4-09 (1)
burro	2-08 (2)	camisa	1-09 (1), 3-03 (2), 4-10 (1), 5-02 (4),
buzo	2-08 (1)		5-03 (2), 5-08 (1), 6-03 (1), 6-05 (1),
caballo	1-01 (5), 1-02 (2), 1-05 (1), 1-06 (2),		6-06 (4), 6-08 (1), 7-01 (1), 7-04 (3),
	1-08 (1), 1-10 (7), 1-11 (1), 2-01 (1),		8-06 (4), 8-11 (5), 8-12 (4)
	2-02 (1), 2-03 (3), 2-06 (3), 2-08 (2),	camiseta	1-09 (7), 1-10 (3), 1-11 (1), 3-03 (5),

	3-05 (1), 3-09 (4), 4-04 (1), 4-10 (1), 5-02 (1), 5-10 (1), 8-06 (2)	casas	8-08 (2)
campaña	2-03 (1), 4-08 (2)	casco	2-06 (2), 4-06 (1), 4-10 (2), 5-02 (1), 7-02 (3)
Canadá	8-04 (1)	casi	3-10 (4), 8-03 (8), 8-05 (1)
canguro	3-06 (1)	castaño	3-01 (1)
canguros	2-05 (1)	castillo	6-10 (2), 8-08 (1)
canica	3-02 (1)	catorce	4-03 (1)
canicas	3-02 (5)	cavando	6-06 (2), 6-12 (2), 7-01 (1), 8-05 (2), 8-11 (2)
canoa	2-08 (2)		
canoso	3-01 (1)	cayendo	1-02 (5), 2-10 (4), 6-02 (1), 6-08 (1), 7-11 (3)
cansada	3-07 (4), 5-10 (1), 5-11 (4), 5-12 (2)		
cansadas	3-07 (1)	cayéndose	4-01 (7)
cansado	3-07 (3), 5-10 (2), 5-11 (3), 5-12 (3)	cayó	7-10 (1)
cansados	3-07 (6), 3-11 (2), 5-10 (3), 5-11 (7), 5-12 (2)	centro	7-08 (1)
		cepillando	2-09 (2), 3-05 (1), 4-06 (3), 4-11 (1)
cantan	7-02 (1)	cerca	2-07 (1), 2-08 (1), 4-06 (1), 8-07 (1), 8-08 (20), 8-12 (3)
cantando	1-05 (2), 4-06 (1), 4-10 (4), 4-11 (1), 5-10 (1), 6-05 (11), 6-10 (4), 6-12 (8), 7-02 (2), 8-02 (11), 8-12 (2)		
		cerdos	3-06 (1)
		cero	1-04 (1), 2-08 (1), 8-01 (10)
cantante	2-05 (2), 6-10 (2), 6-12 (2)	cerrada	4-02 (5), 7-10 (1), 8-10 (4)
cantantes	6-07 (3)	cerradas	4-02 (1)
cantidad	5-09 (2)	cerrado	6-02 (1), 6-12 (1)
capota	4-09 (1)	cerrados	4-02 (4)
cara	2-09 (4), 3-09 (1), 8-08 (2)	cerrar	6-02 (1), 6-12 (1)
caramba	6-11 (1)	cesta	1-08 (2), 1-11 (2), 2-08 (1)
caramelo	2-08 (1)	cestas	6-04 (1)
caramelos	2-08 (1), 5-09 (2), 7-08 (6)	chaqueta	1-09 (4), 3-03 (1), 5-08 (1), 8-06 (2)
cargando	5-05 (1)	Chile	8-04 (1)
Carlos	6-07 (3)	China	8-04 (3), 8-12 (1)
carné	1-08 (1), 5-07 (1)	chocado	4-09 (2)
carpintero	3-08 (1), 6-11 (1), 6-12 (1)	ciclista	6-09 (1), 7-03 (1)
carrera	5-10 (3), 6-01 (4), 6-06 (2), 6-10 (4), 8-11 (2)	ciclistas	6-09 (1), 7-03 (2), 7-12 (2)
		cielo	7-09 (2)
carretera	7-04 (1), 7-09 (2), 8-05 (8), 8-12 (4)	cien	4-03 (2), 4-11 (1)
carrito	5-05 (6)	científica	3-08 (1), 6-11 (1), 6-12 (1)
carro	1-01 (5), 1-03 (17), 1-05 (1), 1-07 (25), 1-10 (8), 1-11 (6), 2-03 (4), 2-07 (2), 2-08 (4), 3-08 (2), 4-01 (2), 4-02 (2), 4-06 (1), 4-09 (17), 4-11 (3), 5-02 (2), 6-02 (4), 6-06 (1), 6-11 (1), 6-12 (2), 7-03 (2), 7-04 (1), 8-05 (3), 8-08 (12), 8-12 (1)	ciento	5-04 (6)
		cinco	1-04 (19), 1-06 (3), 1-11 (2), 2-08 (1), 3-05 (2), 3-09 (1), 3-10 (8), 3-11 (1), 4-02 (1), 4-03 (4), 4-11 (3), 5-01 (12), 5-04 (4), 5-09 (2), 5-12 (2), 8-01 (3)
carros	1-05 (1), 1-10 (2), 1-11 (1), 3-02 (1), 4-09 (2), 7-04 (1), 8-05 (2)	cincuenta	4-03 (2), 5-04 (7)
		cine	8-09 (3)
carruaje	4-05 (2), 4-06 (2), 6-02 (2)	circulando	4-09 (1), 8-05 (3)
casa	1-03 (4), 1-07 (2), 1-10 (1), 3-04 (2), 4-09 (1), 7-04 (1), 8-05 (1), 8-07 (1), 8-12 (1)	círculo	2-04 (22), 2-11 (6), 7-07 (11), 8-03 (5)
		círculos	7-07 (4), 8-03 (15)
		cisne	3-06 (3), 5-03 (2), 7-02 (1)
		cisnes	5-09 (1)

ciudad	7-04 (1)	coro	6-10 (1), 6-12 (1)
claro	8-07 (1)	corredor	7-03 (1)
coche	6-11 (1)	corredora	6-09 (1)
cocinando	3-08 (2)	corredoras	3-01 (1), 8-08 (1)
cocinera	6-11 (1)	corredores	3-01 (1), 5-10 (1), 6-09 (1), 8-08 (1)
cocinero	3-08 (1), 6-11 (2)	correr	5-10 (1), 6-08 (2), 8-11 (1)
codo	2-09 (1)	corrido	5-10 (1), 6-08 (1), 8-11 (1)
codos	2-09 (1)	corriendo	1-02 (9), 1-05 (2), 1-07 (8), 1-10 (4),
cogiendo	3-08 (1)		1-11 (1), 2-01 (4), 2-06 (2), 2-07 (1),
colchoneta	5-05 (5)		3-04 (7), 3-06 (1), 4-01 (1), 4-08 (1),
colina	6-10 (1), 7-03 (1)		4-10 (2), 5-11 (2), 6-05 (2), 6-08 (1),
color	1-10 (2), 3-05 (4), 8-07 (2)		6-10 (1), 7-03 (1), 8-02 (2), 8-05 (2),
coloreada	8-04 (4), 8-12 (1)		8-07 (2), 8-11 (2)
coloreado	8-04 (12), 8-12 (3)	cortado	2-10 (2), 7-11 (1)
coloreados	8-04 (1)	cortando	2-10 (2), 7-11 (2)
comedor	6-09 (1)	cortar	2-10 (1), 7-11 (1)
comer	2-10 (2), 5-03 (1), 7-11 (2)	corto	1-03 (2), 1-11 (2), 2-04 (4), 3-01 (5),
cometa	5-10 (1), 7-01 (6), 8-08 (2)		3-03 (2), 6-03 (3), 8-07 (1)
cometas	7-01 (1)	cruza	8-05 (3)
comida	1-08 (8), 2-09 (2), 5-05 (2), 5-06 (1),	cruzan	8-05 (1), 8-12 (1)
	5-09 (2), 6-08 (1)	cruzando	6-02 (1), 8-05 (5)
comidas	5-07 (1), 5-12 (1)	cruzar	6-02 (1), 7-10 (1)
comido	2-10 (1), 7-11 (1)	cuaderno	6-01 (2)
comiendo	1-07 (8), 1-08 (6), 1-10 (8), 2-10 (1),	cuadra	8-09 (3), 8-10 (13)
	3-05 (2), 6-05 (3), 6-06 (2), 7-11 (1),	cuadrada	2-05 (3), 7-07 (1)
	8-02 (3)	cuadrado	2-04 (12), 2-05 (1), 2-11 (2), 7-07
como	3-02 (2), 3-11 (1)		(10), 8-03 (2)
cómo	8-10 (40), 8-12 (4)	cuadrados	7-07 (2), 8-03 (2), 8-12 (2)
compitiendo	6-10 (4)	cuadras	8-10 (43), 8-12 (4)
con	1-08 (2), 2-03 (3), 2-04 (2), 2-05 (6),	cuál	1-10 (6), 3-05 (2), 3-09 (2)
	2-08 (2), 2-11 (4), 3-02 (2), 3-03 (2),	cualquiera	8-07 (1)
	3-11 (2), 4-01 (3), 4-04 (7), 4-07 (5),	cuando	5-06 (2), 8-10 (4)
	4-09 (1), 4-10 (18), 4-11 (4), 5-02	cuántas	3-02 (4), 3-04 (2)
	(4), 5-05 (1), 5-07 (1), 5-08 (3), 5-10	cuántos	3-04 (6)
	(7), 5-11 (1), 6-03 (3), 6-04 (4), 6-07	cuarenta	3-10 (1), 3-11 (1), 4-03 (3), 5-04 (5),
	(2), 6-10 (10), 6-11 (1), 6-12 (3),		5-12 (2)
	7-01 (1), 7-04 (1), 7-08 (8), 8-05 (1)	cuarta	8-01 (2)
conejo	3-09 (1)	cuarto	3-10 (5), 3-11 (1), 8-01 (5), 8-12 (1)
contar	5-09 (15)	cuatro	1-04 (14), 1-06 (7), 1-11 (2), 2-09
contenta	5-10 (1)		(2), 3-04 (1), 3-05 (1), 3-06 (1), 3-09
contento	3-07 (1), 5-10 (2), 5-11 (1)		(5), 3-10 (1), 4-02 (2), 4-03 (1), 4-07
contentos	3-07 (1), 5-11 (1)		(2), 5-01 (14), 5-04 (4), 5-09 (3),
continente	8-04 (7)		5-12 (4), 6-05 (2), 6-07 (2), 7-02 (4),
contra	7-09 (2)		8-01 (1), 8-02 (2), 8-10 (12)
convertible	4-09 (1)	cuatrocientos	5-04 (2)
corbata	5-08 (1), 6-03 (1)	cubierta	7-09 (1), 7-12 (1)
corcoveando	5-02 (1)	cubiertos	6-09 (1), 6-12 (1), 7-04 (1)
Corea	8-04 (1), 8-12 (1)	cubre	5-06 (2)

cubriendo	3-09 (1)	dieciséis	4-03 (1), 5-01 (1)
cuchillos	6-09 (1)	diecisiete	4-03 (1), 5-04 (1)
cuello	5-10 (1), 5-12 (1)	dientes	3-08 (1), 6-11 (1)
cuerda	5-10 (1)	diez	1-04 (2), 1-06 (2), 3-05 (1), 3-10 (2),
cuidando	3-08 (2)		4-03 (1), 5-01 (2), 5-04 (1), 6-07 (1)
dado	7-01 (1)	dinero	3-08 (1), 5-05 (3), 5-12 (1)
dados	6-04 (1), 6-09 (2)	dio	5-05 (1)
dando	5-05 (9), 5-12 (4), 7-01 (1)	disco	5-03 (2), 6-01 (2), 6-06 (2), 7-10 (3)
dar	7-01 (2)	disparan	8-07 (1)
de	1-01 (14), 1-07 (2), 1-08 (5), 1-09	dividido	5-01 (5)
	(6), 1-10 (12), 1-11 (4), 2-01 (2)…	dobladas	4-02 (1)
dé	8-10 (4)	doblados	4-02 (1), 5-10 (1)
debajo	1-01 (6), 1-10 (3), 1-11 (2), 2-08 (3),	doblando	4-09 (1)
	3-04 (1), 4-04 (2), 4-08 (1), 4-09 (2),	doble	8-10 (50), 8-12 (4)
	4-11 (2), 7-07 (1), 7-09 (6), 7-10 (1),	doce	4-03 (1), 5-01 (7), 5-12 (1)
	7-12 (1)	doctor	3-08 (3), 6-11 (3)
débil	3-07 (1), 3-11 (1), 5-11 (1)	dolor	3-08 (2)
dedos	1-06 (4), 3-05 (1), 3-09 (3), 4-02 (2)	donde	7-04 (1)
del	2-05 (1), 2-07 (4), 2-08 (13), 2-09	dónde	1-10 (10), 2-05 (4)
	(7), 3-04 (2), 3-08 (3), 3-11 (2)…	dormido	4-05 (2), 4-11 (2)
delgadas	3-01 (1)	dormir	5-03 (1), 5-08 (1)
delgado	3-01 (2), 3-08 (1), 6-11 (1)	dos	1-04 (13), 1-06 (8), 1-09 (2), 1-11
demasiadas	5-09 (5)		(2), 2-02 (10), 2-03 (2), 2-05 (4), 2-
demasiado	5-02 (2), 6-06 (2), 8-11 (2), 8-12 (2)		08 (7), 2-09 (3), 2-11 (4), 3-01 (3),
demasiados	5-09 (6)		3-02 (2), 3-03 (2), 3-04 (2), 3-05 (3),
dentista	3-08 (2), 6-11 (1), 6-12 (1)		3-06 (6), 3-09 (1), 3-10 (8), 3-11 (2),
dentro	1-01 (1), 6-02 (1), 6-11 (1), 7-07 (1)		4-03 (4), 4-04 (2), 4-07 (4), 4-09 (1),
deportivo	4-09 (1)		5-01 (12), 5-04 (5), 5-07 (5), 5-08
derecha	2-05 (15), 2-11 (2), 3-01 (4),		(1), 5-09 (8), 5-10 (2), 5-12 (1), 6-04
	4-09 (1), 5-09 (2), 7-08 (21),		(1), 6-05 (1), 6-07 (1), 6-09 (2), 6-10
	8-03 (2), 8-10 (36), 8-12 (6)		(1), 6-12 (1), 7-02 (5), 7-06 (3), 7-09
derecho	4-01 (1), 7-08 (3)		(1), 8-01 (11), 8-02 (2), 8-03 (3), 8-
desde	7-09 (2)		05 (2), 8-08 (2), 8-10 (24), 8-12 (5)
desentumeciendo	5-10 (1)	doscientos	5-04 (2)
desfile	4-06 (1), 4-09 (1), 6-01 (2), 6-12 (2)	dragón	3-06 (1)
desierto	6-10 (1)	duele	6-11 (1)
deslizado	6-02 (1)	durmiendo	4-05 (4)
deslizando	6-02 (1), 7-10 (1)	e	4-07 (2)
deslizar	6-02 (1)	echando	5-06 (2), 6-08 (1), 8-11 (1)
desmontado	5-03 (1)	echar	6-08 (1), 8-11 (1)
despierto	4-05 (2), 4-11 (2)	edificio	3-04 (2), 3-05 (1), 3-11 (2), 4-05 (2),
detrás	2-08 (4), 4-08 (2), 4-09 (1), 4-11 (1),		6-02 (2), 6-12 (2), 7-04 (3), 7-07 (1)
	5-06 (2), 7-04 (2), 7-07 (5), 7-12 (2)	edificios	6-10 (4), 8-05 (1)
día	5-06 (2), 7-04 (4)	Egipto	8-04 (1)
dibujo	3-09 (4)	el	1-02 (25), 1-03 (22), 1-05 (2), 1-06
dice	6-07 (8)		(8), 1-07 (30), 1-08 (12), 1-09 (7)…
diecinueve	4-03 (1)	él	1-07 (3), 1-10 (1), 2-02 (3), 2-06 (2),
dieciocho	4-03 (1)		2-09 (2), 2-11 (2), 3-03 (11), 3-04

	(1), 3-07 (11), 3-08 (7), 3-11 (2), 4-01 (21), 4-04 (1), 4-05 (4), 4-07 (1), 4-10 (14), 4-11 (5), 5-03 (1), 5-05 (3), 5-06 (2), 5-10 (1), 5-11 (2), 5-12 (3), 6-01 (1), 6-11 (1), 7-10 (4), 7-11 (3), 7-12 (3), 8-05 (3), 8-07 (2)
eléctrica	5-08 (1)
eléctrico	4-06 (2), 4-11 (2), 5-08 (1)
elefante	1-01 (1), 2-02 (1), 2-09 (1), 3-06 (1), 3-09 (1)
elefantes	7-02 (1)
elegantemente	6-03 (4), 6-12 (4)
ella	1-07 (2), 2-02 (3), 2-05 (2), 2-06 (4), 2-09 (2), 2-11 (4), 3-03 (9), 3-07 (4), 3-08 (1), 4-01 (6), 4-04 (1), 4-10 (4), 5-10 (1), 5-11 (1), 5-12 (1), 7-05 (2), 7-10 (1)
ellas	1-10 (3), 1-11 (2), 4-01 (4), 7-11 (3)
ellos	1-10 (1), 3-04 (1), 3-07 (8), 3-11 (2), 4-01 (7), 4-08 (2), 5-05 (4), 5-10 (1), 6-05 (1), 7-02 (1), 7-10 (3)
empujando	5-05 (9)
en	1-01 (4), 1-05 (2), 1-06 (9), 1-08 (4), 1-10 (1), 1-11 (8), 2-01 (2)…
encima	1-01 (7), 1-07 (2), 1-10 (1), 1-11 (2), 2-07 (9), 2-08 (9), 2-09 (5), 3-04 (5), 4-07 (1), 4-08 (1), 4-09 (2), 4-10 (2), 5-02 (1), 6-01 (4), 7-02 (1), 7-07 (3), 7-09 (6), 7-10 (4), 7-12 (1), 8-03 (1), 8-05 (2), 8-12 (1)
enfermera	3-08 (2), 6-11 (1)
enfermo	3-07 (2), 3-08 (1), 5-11 (2), 6-11 (4)
enfrente	2-07 (2), 2-08 (2), 4-09 (1), 6-07 (1), 7-04 (2), 7-07 (7), 7-08 (5), 7-09 (2), 7-12 (4), 8-03 (1), 8-09 (11)
enfriando	8-07 (1)
enorme	6-10 (1)
enseñando	3-08 (1), 3-11 (1), 6-11 (1)
entrando	4-05 (2), 6-02 (1), 6-12 (1)
entrar	6-02 (1), 6-12 (1)
entre	2-08 (4), 2-11 (2), 4-06 (1), 5-01 (5), 5-09 (1), 7-04 (2), 8-05 (2), 8-12 (1)
equipaje	6-09 (1)
era	6-06 (1), 8-11 (1), 8-12 (1)
es	1-03 (20), 1-05 (1), 1-06 (5), 1-07 (50), 1-08 (4), 1-10 (8), 1-11 (12)…
escalera	4-05 (5), 4-06 (2), 6-06 (2), 6-08 (2), 6-09 (1), 7-10 (1), 8-11 (2)

escaleras	4-05 (2), 5-05 (1), 6-10 (1)
escalones	4-05 (4), 6-02 (8), 6-07 (4), 6-10 (2)
escoba	8-05 (1)
escribiendo	2-01 (1), 3-08 (1), 3-11 (1), 4-06 (2), 4-10 (2), 4-11 (3), 6-02 (1), 6-11 (1), 7-08 (2)
escribir	6-02 (1), 7-10 (1)
escrito	7-09 (1)
escritorio	5-08 (1)
escuchando	4-06 (1), 5-08 (1)
escuela	8-10 (4)
eso	6-11 (1), 8-07 (1)
espaciales	7-02 (2)
España	8-04 (1), 8-12 (1)
esposa	4-07 (5), 4-11 (1), 6-08 (2)
esposo	4-07 (5), 4-11 (1)
esquiador	7-03 (5)
esquiando	7-03 (4)
esquina	8-09 (5)
esta	1-07 (2), 2-06 (11), 2-10 (1), 2-11 (1), 3-01 (2), 3-09 (1), 3-11 (1), 4-04 (3), 5-02 (2), 5-03 (2), 5-06 (1), 5-09 (4), 5-10 (1), 5-12 (2), 6-01 (2), 6-03 (11), 6-05 (5), 6-06 (1), 6-10 (1), 6-12 (2), 7-02 (4), 7-06 (4), 7-07 (2), 8-04 (2), 8-06 (6), 8-08 (2)
está	1-02 (33), 1-05 (7), 1-06 (3), 1-07 (20), 1-08 (16), 1-10 (49), 1-11 (3)…
ésta	3-09 (2), 3-11 (2), 6-01 (1), 6-07 (2)
estaba	6-01 (10), 6-06 (11), 6-12 (2), 8-11 (5)
estábamos	8-11 (3)
estaban	6-01 (4), 6-06 (4), 6-12 (2)
estación	3-08 (1), 6-11 (1), 8-09 (4), 8-10 (24)
estacionado	4-09 (1)
estacionados	4-09 (1), 8-05 (1)
estacionamiento	7-04 (1)
estacione	2-05 (1)
Estados Unidos	8-04 (1)
estamos	5-11 (11), 5-12 (2), 6-11 (1), 7-11 (4), 7-12 (2), 8-02 (18), 8-11 (3), 8-12 (3)
están	1-02 (7), 1-05 (7), 1-06 (3), 1-07 (12), 1-08 (5), 1-10 (5), 1-11 (7)…
estante	2-08 (1)
estar	5-10 (1), 8-07 (1)
estas	3-04 (2), 3-06 (2), 3-07 (2), 3-09 (1), 3-11 (1), 4-04 (4), 4-05 (2), 4-07 (5),

	5-06 (2), 5-08 (4), 6-01 (4), 6-03 (2), 6-05 (9), 6-06 (2), 6-10 (1), 6-12 (5), 7-05 (12), 7-06 (11), 7-09 (3), 7-12 (4), 8-03 (7)	flor	1-05 (1), 3-05 (1), 3-11 (1), 4-06 (3), 5-07 (1), 6-09 (1), 7-05 (2)
estás	5-11 (1)	flores	1-05 (1), 3-04 (2), 3-05 (4), 3-09 (2), 3-11 (5), 4-06 (1), 5-06 (1), 5-07 (3),
éstas	5-07 (1), 6-01 (1), 7-06 (2)		5-09 (3), 6-04 (2), 6-09 (3), 6-10 (2), 7-05 (18), 7-07 (2), 7-08 (2), 7-12 (2)
estatua	3-09 (2), 6-03 (2), 7-03 (1), 7-09 (2)	fondo	3-05 (4)
este	1-10 (6), 2-06 (10), 2-08 (6), 2-09 (2), 3-01 (4), 3-04 (2), 3-06 (5), 3-08 (2), 4-04 (4), 4-09 (2), 5-10 (7), 5-12 (4), 6-01 (2), 6-03 (6), 6-05 (1), 6-06 (4), 7-02 (5), 7-06 (4), 7-07 (5), 7-12 (4), 8-04 (26), 8-06 (6), 8-07 (12), 8-12 (8)	formal	5-08 (1)
		fósforo	5-06 (1)
		foto	8-08 (2)
		fotografía	4-08 (1), 5-09 (4), 5-12 (2), 7-10 (1)
		frente	5-10 (1)
		fresas	1-08 (2), 1-10 (1), 1-11 (1)
		fría	5-06 (2)
éste	6-01 (1), 6-06 (4), 6-07 (2), 7-02 (2), 7-03 (2)	frío	3-07 (3), 3-08 (1), 5-06 (8), 5-11 (4), 6-11 (1), 7-04 (3)
estiradas	4-02 (1)	fritas	6-04 (1)
estirados	4-02 (1)	fruta	1-08 (1), 5-07 (6)
esto	1-10 (2), 1-11 (2), 3-04 (6), 3-11 (2), 7-03 (2), 7-04 (2), 8-03 (4)	frutas	5-07 (1)
		fue	5-03 (2)
estornudando	5-10 (2)	fuego	5-06 (6)
estos	2-10 (1), 4-04 (2), 4-06 (2), 5-10 (3), 6-03 (2), 6-12 (2), 7-02 (3), 7-05 (3), 7-06 (8), 7-09 (2), 7-12 (2)	fuerte	3-07 (1), 3-11 (1), 5-11 (1), 6-10 (1), 8-08 (1)
		funeral	5-10 (1)
éstos	6-01 (1), 7-06 (2)	furgoneta	4-05 (2), 4-09 (2)
estoy	5-11 (11), 5-12 (2), 6-07 (2), 6-11 (16), 7-11 (13), 8-02 (12), 8-11 (15), 8-12 (3)	galopando	7-03 (2)
		ganado	5-07 (1), 5-10 (1)
		ganará	5-10 (1)
estrechando	6-07 (1)	gansos	8-05 (2)
estudiante	3-08 (1), 6-11 (1)	garrocha	4-10 (4)
estudiantes	3-08 (1), 3-11 (1), 6-11 (1)	gasolinera	8-09 (3), 8-10 (16), 8-12 (4)
Europa	8-04 (4), 8-12 (1)	gato	1-01 (2), 1-03 (1), 1-07 (1), 2-02 (1), 2-11 (1), 3-04 (2), 3-05 (2), 3-06 (3), 3-11 (2), 4-01 (1), 4-05 (4), 4-08 (2), 4-11 (2), 5-02 (2), 5-07 (1), 6-08 (3), 6-12 (3), 8-06 (1), 8-11 (3)
europeo	8-04 (1), 8-12 (1)		
extendidas	7-02 (2)		
extendido	7-02 (1)		
exterior	3-04 (3), 3-11 (1)		
fábrica	8-09 (2)	gatos	3-09 (1)
falda	1-09 (2), 1-11 (1), 3-03 (2)	gemelos	6-09 (1), 6-12 (1)
faldas	8-06 (2)	gente	2-08 (2), 5-06 (2)
familia	4-07 (7)	girando	3-04 (1)
farmacia	8-09 (1)	gire	2-05 (3)
feliz	8-07 (1)	globo	6-07 (4)
feo	3-07 (1)	globos	3-02 (2), 5-09 (3), 6-09 (2), 7-09 (2)
ferrocarril	8-05 (2)	golpeado	7-01 (2)
figuras	8-03 (4)	Gorbachov	4-04 (1), 6-07 (2)
final	8-10 (2)	gordas	3-01 (1)
flauta	5-08 (2)	gordo	3-01 (2), 3-08 (1), 6-11 (1)
flautas	5-08 (1)	gorra	3-05 (1), 4-10 (2), 4-11 (2)

grande	2-03 (25), 2-04 (13), 2-08 (1), 2-11 (2), 4-09 (3), 5-02 (1), 8-06 (1)
grandes	8-03 (6), 8-12 (4)
granjero	8-06 (2), 8-12 (2)
gris	3-05 (1), 3-06 (1), 4-09 (1), 8-06 (2)
grises	1-09 (1), 3-06 (1), 8-03 (2), 8-12 (2)
grupo	3-01 (2), 6-09 (3)
guantes	4-06 (1), 5-02 (2), 5-12 (2), 6-04 (1), 6-09 (2)
guardar	5-08 (1)
guiando	4-06 (1)
guitarra	2-05 (2), 4-01 (1), 4-11 (1), 5-05 (5), 5-08 (1), 5-12 (2), 6-06 (4), 8-11 (4)
guitarra-bajo	5-08 (1)
guitarras	5-08 (2)
ha	2-10 (13), 2-11 (1), 4-05 (1), 5-03 (11), 5-10 (1), 6-01 (1), 6-02 (6), 6-06 (1), 6-07 (1), 6-08 (5), 6-12 (2), 7-01 (3), 7-03 (1), 7-10 (4), 7-11 (1), 7-12 (2)
habla	8-02 (2)
hablando	2-01 (1), 2-11 (1), 4-04 (26), 6-05 (4), 6-07 (2), 6-08 (2), 8-02 (2)
hablar	4-04 (12), 4-11 (4)
hace	5-06 (10), 7-04 (4)
hacia	7-01 (4), 7-10 (3), 8-05 (2), 8-12 (2)
haciendo	1-10 (2), 3-08 (1), 3-11 (1), 4-01 (12), 4-11 (4), 6-11 (1)
hambre	3-07 (5), 5-11 (3)
han	2-10 (1), 2-11 (1), 5-03 (1), 5-10 (1), 6-02 (2), 6-07 (3), 6-08 (1), 7-02 (1), 7-11 (1)
hasta	8-10 (30), 8-12 (4)
hay	1-06 (2), 1-07 (2), 3-02 (24), 3-09 (12), 3-11 (4), 4-08 (9), 4-11 (2), 5-09 (27), 5-12 (4), 7-01 (1), 7-04 (6), 7-07 (3), 7-08 (2), 7-09 (2), 8-02 (2), 8-05 (2), 8-08 (2), 8-12 (1)
he	7-11 (9), 8-11 (3)
hecha	5-03 (2)
helado	5-06 (1), 5-07 (1)
hemos	7-11 (1), 7-12 (1), 8-11 (1)
heno	7-01 (4)
hermana	4-07 (4), 4-11 (3)
hermanas	4-07 (1)
hermano	4-07 (4), 4-11 (3)
hermanos	4-07 (3)
hermoso	3-07 (1)

herramienta	2-03 (1)
herramientas	6-09 (1)
hielo	5-06 (2)
hierba	3-05 (2), 4-10 (2), 5-07 (1), 5-09 (2), 5-12 (2)
higiénico	6-04 (2)
hija	4-07 (3), 4-11 (1)
hijo	3-08 (1), 4-01 (1), 4-07 (2), 4-11 (1), 6-11 (1), 8-02 (2)
hijos	4-07 (4), 6-06 (2), 6-12 (2), 7-01 (2), 8-11 (2)
hindú	8-09 (1)
hocico	8-07 (1)
hojas	7-04 (2), 7-12 (1)
hombre	1-01 (4), 1-02 (10), 1-03 (6), 1-05 (2), 1-06 (1), 1-07 (2), 1-08 (8)...
hombres	1-05 (3), 1-06 (1), 1-09 (2), 1-10 (1), 2-07 (6), 2-11 (3), 3-02 (1), 3-04 (1), 3-09 (2), 4-04 (3), 4-06 (2), 5-05 (1), 5-10 (3), 6-03 (2), 6-05 (4), 6-07 (4), 6-08 (3), 6-12 (2), 7-03 (1), 7-05 (1), 7-06 (1), 8-06 (1)
hospital	8-09 (6), 8-10 (18), 8-12 (2)
hotel	8-09 (4), 8-10 (2)
huevo	1-05 (1), 3-05 (4)
huevos	1-05 (1)
humo	5-06 (2)
ido	5-03 (1)
iglesia	3-04 (2), 6-10 (1), 8-09 (2), 8-10 (14), 8-12 (2)
igual	5-01 (28), 5-12 (4)
incendio	8-08 (2)
India	8-04 (1)
infantil	8-09 (11), 8-10 (10)
instrumentos	5-08 (4)
intentando	7-01 (3), 7-10 (4)
interior	3-04 (3), 3-11 (1)
invierno	5-06 (1), 7-04 (7), 7-12 (1)
Italia	8-04 (1)
izquierda	2-05 (13), 2-11 (2), 3-01 (4), 5-09 (2), 6-07 (4), 7-01 (1), 7-08 (21), 8-03 (2), 8-10 (34), 8-12 (6)
izquierdo	7-08 (3)
jalando	4-09 (3), 4-11 (2), 5-05 (5), 7-01 (1)
Japón	8-04 (1)
jeans	1-09 (3), 3-03 (1)
jinete	2-10 (3)
jirafa	3-06 (1)

joven	1-03 (3), 2-09 (3), 3-01 (10), 6-03 (4), 7-09 (2), 8-07 (1)
jóvenes	3-01 (1), 7-02 (2)
Juan	6-07 (4)
juega	5-06 (2)
juego	6-09 (8), 6-12 (3)
jugando	3-04 (3), 4-01 (4), 4-04 (1), 4-10 (9), 5-05 (1), 6-10 (2)
jugo	1-08 (1), 7-06 (1), 7-08 (1), 7-12 (1)
juntas	4-02 (4), 4-11 (1)
juntos	4-02 (5), 4-11 (2), 7-11 (2), 7-12 (1)
la	1-02 (12), 1-03 (6), 1-05 (1), 1-07 (6), 1-08 (7), 1-09 (17), 1-10 (11)…
lacio	3-01 (5)
lado	2-08 (7), 2-11 (2), 4-07 (4), 7-03 (1), 7-07 (1), 7-08 (8), 8-05 (1), 8-09 (16)
lanzado	5-03 (1), 6-02 (1), 6-08 (1)
lanzar	6-02 (3), 6-08 (1)
largo	1-03 (2), 1-10 (2), 1-11 (2), 2-04 (4), 3-01 (7), 6-03 (3), 8-07 (1)
las	1-02 (5), 1-06 (8), 1-07 (4), 1-08 (4), 1-09 (3), 1-10 (4), 1-11 (13)…
lastimó	6-11 (1)
lazo	7-10 (3), 7-12 (3)
le	5-05 (10), 5-12 (4), 6-08 (2), 7-01 (1)
leche	1-08 (6), 1-10 (5), 2-10 (3), 5-05 (2), 5-09 (4), 5-12 (2), 7-06 (11), 7-07 (2), 7-08 (10), 7-11 (7), 7-12 (5)
leer	6-08 (1), 8-11 (1)
lejos	6-10 (2), 8-08 (17), 8-12 (2)
lengua	5-10 (1)
lentamente	7-03 (10), 7-12 (2)
león	3-06 (1), 7-09 (2)
leopardo	8-07 (1)
les	6-07 (1), 7-01 (1)
levantado	6-08 (1), 6-12 (1), 8-11 (1)
levantando	6-08 (1), 6-12 (1), 7-10 (1), 7-12 (1), 8-11 (1)
levantar	6-08 (1), 6-12 (1), 8-11 (1)
leyendo	1-02 (2), 1-10 (2), 2-01 (1), 2-11 (1), 3-08 (1), 3-11 (1), 4-06 (2), 5-02 (1), 6-06 (2), 6-08 (2), 6-10 (1), 6-11 (1), 6-12 (1), 7-01 (2), 8-11 (4)
libro	4-04 (1), 4-06 (3), 6-06 (2), 6-08 (2), 6-12 (2), 7-01 (1), 8-11 (2)
libros	6-10 (2)
limosina	4-09 (2)
llama	5-06 (2), 6-07 (2), 8-04 (3)
llamamos	7-04 (2)
llamo	6-07 (4)
llaves	6-06 (1)
llegar	8-10 (4)
llego	8-10 (36), 8-12 (4)
llegue	8-10 (4)
llena	3-07 (2), 5-11 (1), 6-01 (2), 6-04 (5), 6-12 (1), 7-08 (4), 8-05 (3)
lleno	3-07 (2), 5-11 (1), 7-08 (13)
lleva	1-09 (28), 1-10 (1), 1-11 (2), 2-06 (18), 2-09 (2), 2-10 (1), 3-01 (4), 3-03 (31), 3-11 (6), 4-06 (2), 4-08 (3), 5-02 (1), 5-05 (1), 6-03 (2), 6-06 (4), 7-02 (11), 7-12 (2), 8-06 (2)
llevaba	6-06 (2), 8-11 (2), 8-12 (2)
llevamos	8-02 (5)
llevan	1-09 (8), 1-10 (5), 1-11 (7), 3-03 (1), 3-04 (2), 4-06 (2), 4-08 (2), 5-06 (1), 6-03 (2), 6-05 (4), 7-02 (11), 7-05 (2), 7-07 (2), 7-12 (1), 8-06 (1)
llevando	6-06 (1)
llevo	5-11 (1), 7-11 (1), 8-11 (3), 8-12 (3)
llorando	5-10 (2)
lluvia	1-09 (4)
lo	1-07 (2), 1-11 (1), 5-03 (2), 5-12 (2), 6-08 (1), 6-12 (1), 7-04 (2), 8-03 (4), 8-11 (1)
los	1-05 (3), 1-07 (2), 1-08 (2), 1-09 (2), 1-10 (6), 1-11 (4), 2-01 (3)…
lumbre	5-06 (1)
luna	7-04 (1)
madre	4-07 (8), 4-11 (1), 6-10 (1), 8-06 (1)
maestra	3-08 (2), 3-11 (1), 6-10 (2), 6-11 (1)
maletero	6-02 (2), 6-12 (2)
manchas	8-07 (9)
manejando	4-09 (1), 4-11 (1), 6-06 (2)
manejar	4-06 (1), 6-06 (1)
maniquíes	4-04 (1), 8-03 (1)
mano	2-05 (26), 2-08 (1), 2-09 (3), 2-11 (4), 3-09 (2), 4-02 (3), 5-02 (2), 5-09 (4), 5-10 (7), 6-07 (1), 7-01 (1), 7-08 (14)
manos	2-09 (7), 3-09 (2), 4-02 (8), 4-10 (4), 4-11 (4), 5-10 (1), 6-01 (2), 7-02 (1)
manzana	3-02 (1)
manzanas	1-08 (4), 1-11 (1), 3-02 (1), 5-07 (2), 5-09 (4), 6-04 (3), 7-05 (1)
mañana	3-10 (2)

mapa	8-04 (16), 8-12 (4)	mis	8-02 (1), 8-11 (3)
máquina	3-08 (1), 3-11 (1), 6-11 (1), 8-05 (1)	misma	4-07 (3), 5-09 (2)
marchando	4-06 (1)	mismo	3-02 (2)
marineros	7-02 (1)	mojando	8-07 (1)
marrón	1-09 (1), 3-05 (3)	monedas	3-02 (2), 5-09 (1)
más	2-04 (24), 2-11 (4), 3-02 (7), 3-11 (3), 5-01 (10), 5-09 (6), 5-12 (6), 8-07 (22), 8-08 (8), 8-12 (2)	monedero	4-06 (2), 4-11 (2)
		montando	1-06 (2), 2-01 (1), 2-06 (3), 4-01 (4), 4-06 (1), 4-08 (2), 4-11 (2), 5-03 (1), 6-05 (4), 6-08 (4), 7-03 (1), 7-06 (2), 8-02 (2), 8-05 (1)
mascota	8-06 (7), 8-12 (4)		
mayor	3-01 (2), 7-05 (2), 8-07 (9)		
mayoría	7-05 (2), 7-07 (8), 7-09 (9), 8-03 (4), 8-12 (2)	montaña	4-09 (1), 7-04 (3), 7-09 (1), 7-10 (2), 7-12 (1), 8-05 (1), 8-12 (1)
me	6-07 (4), 6-11 (2), 7-11 (7), 8-02 (2), 8-11 (6)	montañas	5-06 (1), 7-04 (2)
		montar	5-03 (1), 7-10 (2), 8-05 (1), 8-07 (1)
mecánica	4-05 (4), 6-09 (1)	montón	5-09 (1)
mecánico	3-08 (2), 6-11 (1)	montones	6-09 (1)
mecedora	6-08 (1)	morada	1-09 (1), 3-03 (1)
medallas	5-10 (1)	moradas	7-05 (3), 7-12 (1)
media	3-10 (13), 3-11 (1)	morado	1-09 (1), 3-03 (1), 3-05 (1)
mediana	2-08 (1)	motocicleta	1-06 (1), 4-09 (1)
medicina	5-05 (2), 5-12 (1)	motocicletas	4-09 (1)
medio	6-04 (1)	moviendo	4-09 (1), 7-03 (9), 7-12 (4)
medir	6-01 (1)	móvil	4-04 (1), 5-03 (3), 5-12 (3)
Melisa	6-07 (12)	muchacha	1-01 (2), 1-06 (1), 2-01 (2), 2-05 (4), 2-06 (4), 4-04 (1), 5-02 (1), 6-06 (2), 7-01 (1), 7-12 (1), 8-07 (1)
menor	8-07 (1)		
menos	3-02 (4), 3-10 (3), 5-01 (10), 5-09 (6), 5-12 (2), 8-07 (1)		
		muchachas	4-04 (1)
mesa	1-01 (3), 1-08 (2), 1-10 (4), 1-11 (2), 2-07 (5), 2-08 (2), 2-09 (3), 3-04 (7), 4-08 (1), 5-02 (1), 5-03 (4), 5-08 (2), 6-01 (4), 6-10 (1), 7-07 (1)	muchacho	1-01 (3), 1-09 (2), 1-10 (5), 1-11 (2), 2-01 (3), 2-06 (8), 3-03 (1), 3-04 (2), 4-05 (1), 5-05 (3), 5-10 (4), 5-12 (1), 6-01 (4), 6-06 (6), 6-08 (3), 7-01 (3), 7-03 (1), 7-08 (2), 7-12 (3), 8-07 (3)
mesas	3-02 (1), 4-08 (1), 5-08 (1), 5-09 (2)		
meter	6-02 (1)	muchachos	3-02 (1), 6-05 (3)
metido	6-02 (1)	muchas	3-02 (4), 3-06 (1), 4-02 (1), 5-09 (4), 6-04 (2), 6-09 (1), 7-08 (4), 7-09 (4)
metro	8-09 (4), 8-10 (8)		
México	8-04 (1)	muchos	3-02 (8), 5-07 (2), 5-12 (2), 6-04 (2), 6-09 (5), 7-04 (1), 7-09 (1)
mezquita	8-09 (1), 8-10 (2)		
mi	6-07 (2), 6-11 (2), 8-02 (2), 8-11 (2), 8-12 (2)	mueble	5-08 (9)
		muebles	5-08 (5), 6-09 (1)
micrófono	2-05 (2), 4-10 (4), 6-10 (1), 6-12 (1)	mueve	7-03 (4)
miedo	3-08 (2), 6-11 (3)	mujer	1-01 (4), 1-02 (10), 1-03 (7), 1-05 (2), 1-07 (4), 1-08 (4), 1-09 (16)…
mientras	4-06 (19), 4-11 (4), 5-08 (1), 6-10 (1), 6-12 (1)	mujeres	1-05 (2), 1-07 (4), 1-09 (1), 1-10 (4), 1-11 (2), 2-05 (1), 2-07 (8), 2-08 (2), 2-11 (6), 3-01 (3), 3-02 (1), 4-04 (3), 4-05 (2), 5-02 (2), 5-12 (1), 6-05 (2), 6-08 (1), 7-01 (1), 7-05 (1), 7-06 (1), 8-03 (2), 8-06 (1)
Mijail	6-07 (3)		
mil	5-04 (10)		
mira	6-07 (4)		
mirando	4-06 (3), 6-02 (1), 6-03 (1), 6-06 (2), 6-12 (2), 7-01 (4), 7-10 (4)		

multitud	6-10 (4)
muñecas	6-09 (2)
muñecos	6-09 (2)
muro	2-07 (4), 4-05 (1), 5-03 (2), 6-07 (4)
musicales	5-08 (4)
muy	1-03 (1), 1-11 (1), 5-10 (4), 7-03 (2), 8-07 (2)
nada	3-02 (1), 3-03 (1), 4-08 (4), 4-11 (1), 6-08 (1)
nadador	7-03 (1)
nadadora	7-03 (2)
nadando	1-02 (4), 1-10 (3), 2-01 (1), 2-06 (3), 3-06 (2), 4-08 (1), 5-03 (1), 7-03 (2), 7-10 (2)
nadar	5-08 (1)
nadie	4-06 (1), 4-08 (8), 4-11 (1), 6-08 (6), 7-02 (1), 7-09 (2), 7-12 (1), 8-06 (1), 8-12 (1)
Nancy	6-07 (3)
naranja	1-08 (1), 7-06 (1), 7-08 (1), 7-12 (1)
nariz	2-09 (4), 2-11 (1), 5-10 (2), 5-12 (1)
negra	1-09 (2), 1-11 (1), 2-03 (1), 4-09 (1), 6-03 (1), 6-05 (1), 7-05 (1)
negras	8-06 (2)
negro	1-03 (3), 1-07 (4), 1-09 (5), 1-11 (2), 2-04 (1), 2-06 (8), 3-01 (6), 3-03 (3), 3-05 (4), 3-06 (1), 4-09 (1), 5-02 (1), 5-06 (1), 5-11 (1), 6-03 (1), 7-02 (2), 7-03 (1), 8-03 (7), 8-06 (3)
negros	1-09 (1), 8-03 (7), 8-06 (1), 8-12 (2)
ni	2-05 (1), 6-03 (5), 6-05 (16), 7-04 (3), 8-02 (8), 8-05 (3), 8-12 (2)
nieve	4-09 (1), 5-06 (5), 7-04 (8), 7-09 (1), 7-12 (2)
Nigeria	8-04 (1)
ningún	3-02 (2), 3-09 (1), 7-05 (1)
ninguna	2-05 (1), 2-11 (1), 3-02 (4), 4-08 (1), 6-05 (3), 6-12 (1), 7-05 (3), 7-06 (4), 7-09 (1), 7-12 (1)
ninguno	4-08 (1), 6-05 (2), 7-05 (2), 7-06 (5), 7-12 (1), 8-02 (5)
niña	1-01 (5), 1-02 (2), 1-03 (1), 1-05 (3), 1-06 (1), 1-08 (3), 1-09 (6), 1-10 (3), 1-11 (1), 2-01 (6), 2-02 (6), 2-06 (3), 2-07 (4), 2-09 (3), 2-10 (6), 2-11 (1), 3-02 (1), 3-04 (4), 3-05 (1), 4-06 (9), 4-07 (6), 5-02 (2), 5-03 (4), 5-05 (6), 5-09 (3), 5-10 (1), 5-12 (3), 6-03 (2), 6-06 (1), 6-07 (2), 6-08 (3), 6-10 (8), 7-01 (3), 7-03 (2), 7-05 (1), 7-06 (6), 8-04 (1), 8-06 (3), 8-07 (2)
niñas	1-02 (5), 1-05 (2), 1-06 (1), 1-09 (3), 1-11 (5), 2-02 (1), 2-07 (5), 2-10 (4), 2-11 (4), 3-02 (3), 3-03 (1), 3-04 (3), 6-01 (2), 6-06 (1), 7-02 (1), 7-05 (2), 7-06 (1), 8-06 (2)
niño	1-01 (17), 1-02 (9), 1-05 (4), 1-07 (2), 1-08 (2), 1-09 (5), 1-10 (7), 1-11 (4), 2-01 (10), 2-02 (5), 2-06 (4), 2-07 (14), 2-08 (9), 2-10 (18), 2-11 (5), 3-02 (2), 3-03 (2), 3-04 (10), 3-07 (2), 3-11 (2), 4-01 (7), 4-02 (2), 4-04 (10), 4-05 (1), 4-06 (8), 4-07 (7), 4-08 (2), 4-10 (5), 4-11 (2), 5-02 (9), 5-03 (4), 5-05 (3), 5-10 (4), 5-12 (1), 6-01 (8), 6-02 (16), 6-03 (2), 6-05 (1), 6-06 (2), 6-07 (2), 6-08 (2), 7-01 (12), 7-06 (1), 7-07 (2), 7-10 (11), 7-12 (2), 8-06 (11), 8-07 (6), 8-08 (4), 8-11 (1), 8-12 (2)
niños	1-05 (4), 1-06 (2), 1-07 (2), 1-10 (3), 2-02 (3), 2-05 (1), 2-06 (2), 2-07 (5), 2-08 (1), 2-10 (1), 3-02 (3), 3-04 (16), 3-08 (1), 3-11 (1), 4-01 (5), 4-06 (1), 4-08 (1), 5-02 (1), 5-03 (4), 5-08 (2), 5-09 (3), 5-10 (1), 6-01 (4), 7-01 (1), 7-06 (1), 7-09 (1), 7-10 (2), 8-07 (1), 8-11 (1)
no	1-07 (37), 1-08 (4), 1-09 (5), 1-11 (6), 2-02 (12), 2-05 (5), 2-06 (27), 2-07 (1), 2-08 (2), 2-09 (1), 2-10 (3), 2-11 (9), 3-01 (2), 3-02 (1), 3-03 (2), 3-04 (4), 3-06 (6), 3-07 (11), 3-08 (2), 3-09 (5), 3-11 (5), 4-01 (16), 4-04 (14), 4-05 (3), 4-06 (2), 4-07 (3), 4-08 (9), 4-09 (2), 4-11 (5), 5-02 (2), 5-03 (3), 5-05 (1), 5-06 (1), 5-09 (2), 5-10 (1), 5-11 (7), 5-12 (4), 6-03 (11), 6-05 (8), 6-06 (1), 6-07 (1), 6-08 (3), 6-10 (1), 6-11 (2), 6-12 (2), 7-01 (3), 7-02 (9), 7-03 (6), 7-04 (4), 7-05 (3), 7-06 (7), 7-07 (4), 7-10 (1), 7-11 (6), 7-12 (5), 8-01 (1), 8-02 (10), 8-03 (4), 8-05 (1), 8-06 (9), 8-07 (8), 8-08 (1), 8-12 (7)
noche	3-10 (1), 7-04 (6)

nombre	6-07 (2)		2-01 (1), 3-06 (3), 3-07 (2), 5-11 (2),
nosotras	8-02 (1)		7-02 (2)
nosotros	5-11 (5), 5-12 (1), 6-11 (1), 7-11 (6),	pájaros	1-05 (1), 2-01 (1), 7-02 (1)
	7-12 (4), 8-02 (9)	pala	4-06 (2), 7-01 (1)
novecientos	5-04 (2)	palo	2-08 (2)
noventa	4-03 (2), 4-11 (1), 5-04 (2)	palos	7-10 (3)
nubes	5-06 (1), 7-09 (2), 7-12 (2)	pan	1-08 (4), 1-10 (5), 1-11 (1), 2-10 (4),
nueva	1-03 (2)		3-02 (2), 3-08 (1), 3-11 (1), 5-06 (2),
nueve	1-04 (2), 3-05 (2), 3-10 (2), 4-03 (1),		5-07 (1), 6-11 (1), 7-02 (1), 7-11 (4)
	5-01 (2), 5-04 (5), 5-12 (1), 8-01 (5)	panadería	8-09 (5), 8-10 (2)
nuevo	1-03 (3), 1-07 (3), 1-11 (3)	panadero	3-08 (1), 3-11 (1)
número	1-06 (8), 2-03 (4), 2-08 (1), 3-02 (2),	panes	1-08 (1), 1-11 (1), 3-02 (2), 6-04 (3)
	7-08 (2), 7-09 (2), 8-01 (40), 8-07	pantalón	1-09 (3), 1-11 (1), 3-03 (9), 3-11 (2)
	(3), 8-12 (8)	papas	6-04 (1)
números	8-01 (6)	papel	2-05 (1), 2-10 (5), 6-04 (11), 6-12
obra	5-03 (2)		(3), 7-11 (4)
ochenta	4-03 (3), 4-11 (1), 5-04 (3)	par	5-09 (1), 6-04 (7), 6-09 (5), 6-12 (1)
ocho	1-04 (3), 1-11 (1), 3-05 (1), 3-10 (5),	para	5-08 (5), 5-09 (11), 7-10 (6), 7-12 (2)
	4-03 (1), 5-01 (6), 5-04 (4), 8-01 (2)	paracaídas	4-10 (2)
ochocientos	5-04 (6), 5-12 (2)	parada	2-07 (2), 2-11 (1), 4-07 (1), 5-09 (1),
ocupadas	7-09 (1)		6-07 (2), 7-03 (1), 7-09 (1), 8-09 (4),
ojo	1-05 (1), 2-09 (2), 2-11 (1)		8-10 (8)
ojos	1-05 (1), 2-09 (1), 3-09 (1), 4-02 (8)	paradas	2-07 (4), 2-11 (1), 7-09 (3), 8-05 (2)
oliendo	4-06 (4)	parado	3-06 (2), 4-07 (1), 6-05 (2), 6-07 (3),
ómnibus	4-09 (1), 6-05 (2)		8-02 (5), 8-05 (1)
ómnibuses	3-02 (1), 4-09 (1)	parados	2-07 (7), 2-11 (2), 3-04 (4), 6-07 (1),
once	3-10 (1), 4-03 (1), 5-01 (2), 5-12 (1)		7-03 (3)
oreja	2-09 (3), 4-06 (1), 6-03 (2)	paraguas	2-03 (2), 3-02 (5), 3-11 (2), 4-10 (2),
orgulloso	3-08 (2), 6-11 (2)		6-05 (2), 8-02 (3), 8-06 (2)
oscura	1-09 (1), 6-03 (8)	parece	8-03 (2), 8-07 (2)
oscuro	1-09 (1), 5-02 (1), 8-07 (1)	parecen	8-03 (2)
oso	3-06 (1), 3-09 (1), 8-06 (1), 8-12 (1)	pared	3-09 (2), 6-01 (4), 7-09 (2)
otoño	7-04 (4), 7-12 (1)	pareja	4-05 (7), 6-03 (2), 6-09 (3), 6-10 (1),
otra	2-05 (1), 2-08 (1), 2-09 (1), 2-11 (1),		6-12 (2)
	3-03 (2), 6-10 (1), 7-01 (1), 7-05 (1),	parejas	6-09 (1)
	7-06 (1), 8-08 (8), 8-12 (4)	pares	6-09 (3)
otras	7-05 (1), 7-12 (1)	parque	4-05 (2), 6-01 (2), 8-09 (11), 8-10
otro	4-09 (1), 7-03 (1), 7-05 (2), 7-12 (1),		(10)
	8-07 (2), 8-08 (5)	parte	7-05 (4)
otros	6-07 (1), 6-10 (4), 8-03 (2)	pasada	8-10 (7), 8-12 (2)
oveja	3-06 (3), 3-11 (2), 8-08 (1)	pasadas	3-10 (3)
ovejas	3-06 (1), 5-07 (1), 8-08 (1)	pasado	8-10 (5), 8-12 (2)
padre	4-01 (1), 4-07 (9), 5-02 (1), 6-06 (2),	pasando	4-09 (1)
	6-10 (1), 6-12 (2), 7-01 (6), 8-06 (2),	paseando	5-02 (4), 5-05 (1)
	8-11 (1), 8-12 (1)	pata	3-09 (1)
padres	4-07 (5), 4-11 (2)	patas	2-09 (1), 3-06 (2), 3-09 (3), 7-02 (8)
país	8-04 (14), 8-12 (3)	pateando	2-01 (4), 4-08 (4), 6-08 (4), 7-08 (2)
pájaro	1-03 (1), 1-05 (1), 1-07 (1), 1-10 (1),	patinadora	7-03 (2)

patinando	7-03 (1)	persona	2-02 (9), 2-03 (2), 2-11 (2), 3-01 (2),
patines	7-03 (1)		3-03 (2), 3-09 (2), 3-11 (2), 4-10 (2),
pato	5-03 (2), 5-07 (1), 7-05 (1)		5-09 (2), 6-01 (2), 6-03 (6), 6-10 (3),
patos	2-01 (2), 5-07 (3), 5-09 (1), 7-02 (1),		7-02 (4), 7-05 (3), 7-06 (5), 7-09 (2),
	7-05 (5), 7-12 (2)		7-12 (1), 8-01 (16), 8-04 (3)
payaso	3-01 (4), 3-03 (2), 3-11 (2), 5-08 (2),	personas	2-02 (2), 2-08 (4), 2-11 (2), 3-02 (8),
	5-10 (3), 5-12 (4), 6-01 (2), 6-05 (2),		3-07 (2), 3-11 (4), 4-05 (4), 4-07 (5),
	6-06 (2), 7-01 (2)		4-09 (1), 4-10 (2), 5-06 (2), 5-08 (4),
payasos	5-08 (1), 5-10 (3)		5-09 (8), 6-01 (4), 6-02 (10), 6-03
peces	2-08 (1), 3-06 (1), 6-04 (1), 7-06 (2)		(2), 6-05 (8), 6-06 (4), 6-10 (12), 6-
pedazos	6-04 (1)		12 (6), 7-02 (2), 7-04 (1), 7-05 (4), 7-
peinando	2-09 (2)		06 (15), 7-07 (4), 7-08 (2), 7-09 (11),
peligroso	8-07 (4)		7-10 (1), 7-12 (5), 8-03 (3), 8-05
pelirroja	5-11 (1), 6-03 (1)		(11), 8-08 (4), 8-12 (4)
pelo	1-03 (8), 1-10 (4), 1-11 (4), 2-04 (2),	pertenece	8-06 (13), 8-12 (4)
	2-06 (2), 2-09 (2), 3-01 (20), 4-06	pertenecen	8-06 (1)
	(3), 4-11 (1), 5-02 (2), 5-11 (1), 6-03	pescado	2-03 (1)
	(7), 8-07 (1)	pescando	6-06 (2), 8-11 (2)
pelota	1-01 (3), 2-01 (10), 2-03 (4), 2-05	pez	1-02 (1), 1-03 (1), 1-07 (1), 2-02 (3),
	(7), 2-07 (2), 2-08 (1), 3-05 (1), 4-08		3-06 (1), 4-01 (1), 7-06 (2)
	(4), 5-03 (1), 6-02 (3), 6-08 (5), 7-07	piano	4-06 (2), 4-11 (2), 5-08 (3), 6-05 (2),
	(1), 7-09 (2)		6-10 (1), 6-12 (1), 8-02 (2), 8-12 (2)
pelotas	1-06 (1), 1-08 (1), 2-05 (4), 3-05 (3)	Picasso	5-03 (2)
pensando	5-10 (2)	pie	4-02 (1), 4-06 (1), 6-05 (2), 6-11 (2),
pequeña	2-03 (7), 2-08 (1), 2-11 (1), 5-02 (1),		7-08 (2), 8-01 (4)
	5-06 (1), 6-06 (2), 8-06 (1), 8-11 (2),	piel	6-03 (16)
	8-12 (2)	piernas	3-09 (1), 4-02 (7), 4-06 (1), 5-02 (2),
pequeño	2-03 (11), 2-04 (13), 2-11 (5), 4-09		5-12 (2), 7-02 (1)
	(1), 5-02 (1), 8-07 (4)	pies	2-09 (2), 4-02 (6), 4-11 (4), 6-07 (2)
pequeños	8-03 (6), 8-12 (4)	pintura	3-09 (5), 3-11 (2)
peras	1-08 (1), 5-07 (2)	pinturas	3-09 (2)
periódico	6-08 (1), 6-12 (1), 8-11 (1)	piscina	7-04 (1), 7-12 (1)
pero	2-07 (1), 5-03 (2), 5-12 (1), 6-03 (2),	planeta	8-04 (3)
	6-06 (3), 6-10 (1), 7-02 (6), 7-03 (1),	planta	4-04 (1), 5-07 (5), 5-12 (1)
	7-05 (6), 7-06 (3), 7-07 (2), 7-08 (8),	plantas	5-07 (4), 5-12 (1), 7-02 (1)
	7-09 (9), 7-12 (2), 8-03 (7), 8-06 (2),	plástico	6-04 (2), 6-12 (1)
	8-07 (5), 8-11 (1), 8-12 (2)	plato	1-06 (8), 1-08 (2), 2-08 (1), 4-08 (2),
perrito	6-10 (1)		4-11 (2), 5-05 (3)
perro	1-01 (5), 1-02 (1), 1-05 (1), 2-02 (4),	platos	1-06 (5), 6-09 (1), 6-12 (1), 7-05 (1)
	2-07 (1), 2-08 (2), 2-11 (3), 3-05 (2),	pluma	2-05 (1), 7-10 (2)
	3-06 (1), 3-07 (2), 4-01 (6), 4-06 (1),	pocas	3-02 (2), 5-09 (2), 6-09 (1), 7-08 (2),
	5-02 (10), 5-03 (4), 5-05 (2), 5-07		7-09 (9)
	(3), 6-01 (2), 6-06 (6), 6-12 (2), 7-01	poco	5-09 (1), 7-11 (1)
	(1), 7-02 (1), 7-06 (2), 7-10 (6), 8-06	pocos	3-02 (1), 5-09 (1), 6-09 (1), 7-09 (1)
	(9), 8-07 (8), 8-12 (2)	podemos	5-09 (4)
perros	1-05 (1), 4-01 (1), 5-02 (2), 5-07 (1),	policía	3-08 (2), 6-11 (2), 6-12 (1), 8-09 (2),
	7-02 (2), 8-07 (1)		8-10 (12)
		poner	6-08 (1), 8-11 (1)

poni	4-01 (2), 5-03 (1), 5-05 (1)	racimo	6-09 (3)
poniendo	3-03 (6), 3-11 (2), 4-01 (1), 4-06 (1),	racimos	6-09 (2)
	4-09 (1), 4-11 (1), 6-08 (2), 7-03 (1),	radio-comando	4-04 (1)
	7-04 (1), 8-11 (2)	ramo	6-04 (1)
por	2-01 (1), 2-08 (1), 2-11 (1), 4-04 (6),	Ramón	6-07 (8)
	4-05 (4), 4-06 (1), 5-01 (3), 5-03 (2),	ramos	6-04 (1)
	6-01 (1), 6-05 (3), 7-01 (2), 7-02 (1),	rápidamente	7-03 (15), 7-12 (2)
	7-07 (3), 7-09 (10), 7-10 (8), 7-12	rápido	8-07 (3)
	(2), 8-02 (3), 8-05 (7), 8-12 (2)	rascando	5-10 (3), 5-12 (2)
porque	4-04 (4), 4-11 (4), 5-10 (2)	rastrillo	2-01 (1), 6-01 (2), 7-01 (3)
potro	7-10 (1)	rayas	8-07 (2)
prenda	5-08 (2)	Reagan	6-07 (5)
preparando	6-08 (1)	real	3-06 (10), 3-11 (4)
primavera	7-04 (3)	reales	3-06 (2)
primer	8-01 (9), 8-12 (2)	rebaño	3-06 (2)
primera	8-01 (4)	recibiendo	5-05 (4)
primeros	8-01 (3)	recoger	5-03 (1)
príncipe	6-07 (2)	recogido	5-03 (1)
prisión	8-09 (1)	recogiendo	5-10 (2)
propia	5-02 (1), 6-06 (1), 8-11 (1), 8-12 (1)	rectangular	2-05 (2)
puede	4-01 (1), 4-04 (10), 4-11 (4), 7-10 (1)	rectángulo	2-04 (16), 7-07 (12)
pueden	4-01 (1), 4-04 (2)	recto	8-10 (2)
puedo	8-10 (4)	redonda	2-05 (3), 7-07 (2)
puente	4-09 (4), 7-04 (2), 7-09 (2), 8-05 (3)	redondo	2-05 (1), 7-07 (4)
puentes	8-05 (1), 8-12 (1)	registradora	5-03 (1)
puerta	4-02 (2), 7-08 (2), 7-09 (2)	regrese	8-10 (4)
puertas	7-08 (5)	Reino Unido	8-04 (1)
puesta	7-09 (1), 7-12 (1)	reloj	2-05 (2), 7-07 (2)
puesto	4-06 (1), 6-08 (1), 8-11 (1)	relojes	7-02 (1)
punto	1-06 (8), 1-11 (4), 3-10 (11), 3-11 (1)	reparando	3-08 (1), 6-11 (1)
que	2-02 (8), 2-04 (16), 2-11 (8), 3-02	restaurante	8-09 (4), 8-10 (4)
	(13), 3-04 (2), 3-11 (3), 5-09 (13),	revés	4-01 (2)
	5-10 (1), 5-11 (4), 5-12 (4), 6-01 (4),	rico	3-07 (1), 3-08 (1), 5-11 (1), 6-11 (1)
	6-06 (6), 6-07 (1), 7-02 (1), 7-03 (2),	riendo	4-04 (1), 5-03 (1)
	7-09 (1), 8-02 (2), 8-05 (1), 8-07	riéndose	2-01 (3)
	(11), 8-08 (12), 8-11 (3), 8-12 (6)	río	4-09 (1)
qué	1-10 (12), 1-11 (4), 3-01 (4), 3-04	rizado	3-01 (5)
	(4), 3-05 (6), 3-06 (4), 3-09 (2), 3-11	rodeada	6-10 (7)
	(8), 4-01 (12), 4-04 (6), 4-11 (4),	rodeado	6-10 (1)
	6-03 (4), 7-02 (4), 7-08 (6), 8-05 (3),	rodean	6-10 (4)
	8-07 (8)	rodillas	2-09 (2), 3-09 (1)
quemando	5-06 (2)	roja	1-09 (2), 3-03 (2), 3-05 (2), 3-11 (1),
queso	1-08 (1), 1-10 (1)		5-10 (1), 5-11 (1), 6-03 (1), 7-01 (1),
quién	1-10 (12), 3-01 (8), 3-04 (4), 7-02		7-04 (3), 7-05 (3)
	(4), 8-07 (3)	rojas	1-08 (3), 3-05 (1), 3-11 (1), 5-09 (2),
quiénes	8-07 (1)		7-05 (3), 8-03 (1)
quince	1-06 (1), 3-10 (2), 4-03 (1), 5-01 (1)	rojo	1-03 (5), 1-07 (9), 1-09 (1), 1-10 (3),
quinientos	5-04 (2)		1-11 (2), 2-01 (1), 2-04 (12), 2-11

(2), 3-01 (2), 3-03 (6), 3-05 (2), 4-04 (1), 4-09 (10), 4-10 (1), 4-11 (1), 5-03 (1), 5-12 (1), 6-03 (1), 6-06 (2), 6-10 (1), 6-12 (1), 7-03 (1), 7-04 (2), 7-09 (1), 8-03 (1), 8-04 (21), 8-08 (4), 8-12 (4)

rojos	1-08 (1), 4-09 (1), 8-03 (4)
rollo	6-04 (4)
rollos	6-04 (1), 6-12 (1)
Ronald	6-07 (4)
ropa	5-02 (2), 5-08 (5), 7-02 (4)
ropero	5-08 (1)
rosada	3-05 (1), 3-11 (1)
rosadas	3-05 (1), 3-11 (1)
rosado	1-03 (1), 1-07 (2), 1-11 (1), 3-05 (1), 7-04 (2)
rosados	7-04 (2)
rosal	5-07 (1)
rubio	3-01 (3), 5-02 (1), 6-03 (1)
rueda	2-03 (8)
ruedas	7-02 (1), 8-05 (2)
rusas	6-09 (1)
Rusia	8-04 (2), 8-12 (2)
sacando	5-03 (1), 5-10 (1), 5-12 (1)
salido	7-01 (1), 7-12 (1)
saliendo	4-05 (2), 7-01 (1), 7-04 (1), 7-12 (1)
salir	6-02 (1), 7-01 (1), 7-12 (1)
saltado	2-10 (7), 2-11 (2), 5-03 (3), 6-02 (1), 6-07 (1), 7-03 (1), 7-10 (2), 7-11 (6), 7-12 (2)
saltando	1-02 (9), 1-05 (2), 1-06 (3), 1-07 (8), 1-10 (2), 1-11 (1), 2-01 (1), 2-06 (2), 2-07 (1), 2-10 (10), 2-11 (3), 3-04 (13), 4-01 (7), 4-08 (3), 4-10 (6), 5-02 (1), 5-03 (2), 5-11 (1), 6-02 (2), 6-06 (2), 7-10 (2), 7-11 (10), 7-12 (3), 8-11 (2)
saltar	2-10 (5), 2-11 (2), 3-04 (2), 5-03 (2), 6-02 (2), 6-07 (1), 7-10 (3), 7-11 (7), 7-12 (2), 8-07 (1)
saludando	5-10 (7)
sandía	6-04 (1)
Sandra	6-07 (4)
sano	3-07 (1), 5-11 (1)
Saturno	8-04 (3)
saxofón	5-08 (1)
se	2-09 (8), 2-11 (4), 3-03 (6), 3-11 (2), 4-01 (1), 4-04 (1), 4-05 (5), 4-06 (4),

	4-09 (1), 4-11 (2), 5-03 (4), 5-08 (2), 5-10 (7), 5-12 (6), 6-01 (1), 6-02 (4), 6-05 (2), 6-07 (2), 6-08 (8), 7-03 (14), 7-04 (2), 7-09 (1), 7-10 (2), 7-12 (4), 8-04 (3), 8-07 (2)
secretaria	3-08 (2), 3-11 (1), 6-11 (1)
sed	3-07 (2), 5-11 (1), 6-11 (1)
segunda	8-01 (4)
segundo	8-01 (8), 8-12 (1)
seis	1-04 (12), 1-06 (3), 1-11 (4), 3-05 (1), 3-09 (2), 3-10 (3), 4-03 (4), 5-01 (12), 5-04 (2), 5-09 (1), 5-12 (3), 6-04 (1), 6-05 (1), 6-12 (1), 8-01 (2), 8-02 (1)
seiscientos	5-04 (2)
semáforo	6-06 (2)
sentada	1-05 (1), 1-07 (4), 2-01 (1), 4-07 (4), 4-10 (2), 5-10 (1), 6-08 (2), 7-09 (2)
sentadas	1-07 (4), 5-06 (1), 7-09 (3), 8-01 (4), 8-08 (2), 8-12 (2)
sentado	1-10 (2), 2-06 (3), 2-07 (4), 2-11 (1), 3-04 (3), 3-06 (1), 4-01 (1), 4-06 (2), 4-07 (2), 4-10 (2), 4-11 (1), 5-10 (1), 7-09 (1), 8-07 (1)
sentados	1-05 (1), 2-07 (11), 2-11 (2), 4-01 (1), 4-08 (1)
sentarse	5-08 (2)
señal	2-05 (4)
señalando	2-01 (1), 2-05 (7), 2-06 (3), 2-11 (10), 4-06 (1), 4-08 (2), 4-10 (2), 4-11 (2), 5-10 (1), 5-12 (1), 7-01 (6), 7-05 (3), 7-06 (4), 7-08 (4)
separadas	4-02 (5), 4-11 (2)
separados	4-02 (5), 4-11 (2)
ser	4-01 (1), 7-01 (1)
sesenta	4-03 (2), 5-04 (3)
setecientos	5-04 (2), 5-12 (2)
setenta	4-03 (2), 4-11 (1), 5-04 (5)
sí	1-07 (20), 1-11 (1), 3-09 (1), 4-01 (14), 4-08 (2), 7-08 (2)
sido	7-01 (1)
siete	1-04 (6), 1-06 (1), 1-11 (2), 3-05 (1), 3-10 (7), 3-11 (4), 4-03 (1), 5-01 (7), 5-04 (7), 5-12 (1), 8-01 (3)
siga	8-10 (72), 8-12 (8)
siguiendo	1-02 (2)
silla	4-07 (2), 5-08 (2), 7-09 (2), 8-05 (2)

sillas	2-07 (1), 2-08 (1), 3-02 (1), 5-08 (2), 5-09 (2), 6-10 (1), 7-07 (1), 7-09 (3)	su	2-05 (19), 2-09 (1), 2-11 (4), 3-08 (2), 3-09 (3), 4-01 (3), 4-02 (3), 4-06 (3), 4-07 (33), 4-11 (9), 5-02 (13), 5-03 (1), 5-05 (2), 5-09 (4), 5-12 (1), 6-06 (1), 6-08 (2), 6-10 (6), 7-08 (2), 7-09 (2), 8-06 (3)
sin	1-08 (2), 2-08 (2), 3-02 (1), 4-07 (2), 4-10 (20), 4-11 (3), 5-02 (1), 7-10 (1), 7-12 (1), 8-05 (1)		
sinagoga	8-09 (2)		
sobre	1-10 (3), 2-09 (1), 3-09 (4), 4-07 (1), 5-06 (2), 6-08 (3), 6-10 (1), 7-02 (1), 7-04 (3), 7-12 (1), 8-11 (2)	subido	5-03 (1), 6-02 (1), 6-05 (2), 6-06 (1), 6-08 (1), 8-11 (1)
		subiendo	4-05 (8), 4-06 (3), 4-09 (2), 4-10 (2), 5-03 (1), 5-05 (1), 6-01 (1), 6-02 (4), 6-06 (1), 6-07 (2), 6-08 (1), 7-09 (4), 7-10 (3), 8-11 (1)
sofá	2-03 (2), 4-07 (2), 5-08 (2)		
soga	3-04 (9), 4-10 (2), 5-11 (1), 6-01 (2), 6-06 (2), 7-10 (2), 8-11 (3)		
sol	4-10 (2), 5-06 (7), 6-04 (2), 7-02 (1), 7-04 (2), 7-09 (1), 7-12 (1)	subiéndose	4-05 (3), 4-06 (2), 7-01 (1), 7-12 (1)
		subir	5-03 (1), 6-02 (3), 6-07 (1), 7-10 (1)
sola	6-09 (4), 6-10 (8), 6-12 (2), 8-08 (1)	submarino	4-09 (1)
solamente	8-02 (1)	suelo	2-07 (6), 2-08 (2), 3-04 (2), 3-09 (2), 4-01 (1), 4-04 (1), 5-06 (1), 5-10 (2), 6-07 (2), 7-01 (1), 7-02 (3), 7-04 (1), 7-09 (2), 7-12 (1), 8-07 (2), 8-08 (3), 8-12 (2)
soldados	7-02 (5), 7-03 (2), 8-07 (1)		
solo	6-09 (1), 6-10 (2)		
sólo	5-09 (2), 6-05 (1), 6-12 (1), 7-02 (1), 7-06 (1), 7-08 (2), 7-09 (10), 8-03 (1)		
sombrero	1-08 (1), 1-09 (9), 1-11 (1), 2-03 (3), 2-05 (4), 2-06 (16), 2-08 (1), 2-10 (1), 3-02 (1), 3-09 (4), 4-06 (3), 4-08 (2), 4-10 (6), 4-11 (2), 5-02 (3), 5-03 (2), 5-05 (2), 5-11 (1), 6-01 (4), 6-06 (2), 7-09 (2), 7-10 (1), 7-11 (1), 8-06 (4), 8-11 (2)	suéter	3-03 (11), 3-11 (2), 4-01 (1), 4-10 (5), 4-11 (1), 6-03 (1), 8-06 (2)
		supermercado	8-09 (1)
		sus	2-09 (2), 3-09 (5), 4-02 (4), 4-06 (1), 4-07 (5), 4-10 (4), 4-11 (2), 5-02 (1), 6-05 (1), 6-06 (2), 6-07 (2), 6-08 (1), 6-10 (1), 6-12 (3), 7-01 (2)
sombreros	1-09 (4), 3-02 (2), 4-08 (1), 5-06 (1), 5-09 (2), 6-05 (2), 7-05 (2), 7-07 (2), 8-02 (2)		
		tambor	5-08 (2), 6-05 (2), 8-02 (2), 8-12 (2)
		tambores	8-06 (1)
son	1-05 (1), 1-06 (8), 1-08 (4), 1-11 (5), 3-01 (2), 3-06 (2), 3-09 (1), 3-10 (36), 3-11 (5), 4-04 (1), 4-07 (5), 5-02 (1), 5-07 (15), 5-08 (8), 6-01 (2), 7-05 (30), 7-06 (8), 7-09 (2), 7-12 (3), 8-01 (10), 8-03 (39), 8-06 (3), 8-12 (12)	tantos	3-02 (2), 3-11 (1)
		tanzania	8-04 (1)
		tarde	3-10 (1)
		taza	2-08 (1), 6-01 (2)
		teléfono	2-01 (1), 2-05 (2), 2-06 (4), 2-11 (4), 4-04 (5), 5-03 (4), 5-12 (4), 6-05 (3), 8-02 (3)
sonando	5-10 (1)	teléfonos	7-09 (2)
sonreír	4-01 (1)	televisión	4-06 (6)
sonriendo	2-01 (4), 2-11 (1), 4-01 (11), 6-05 (2), 6-07 (1), 8-02 (2), 8-12 (2)	televisor	2-03 (1)
		templo	8-09 (1)
sonriente	3-09 (1)	tenemos	5-11 (4)
sosteniendo	2-05 (2), 4-06 (5), 4-11 (2), 5-03 (1), 5-05 (2), 5-08 (1), 5-10 (1), 5-12 (1), 6-01 (2), 6-06 (2), 6-07 (2), 6-08 (1), 6-12 (1), 7-09 (2), 8-11 (4)	tengo	5-11 (6), 6-07 (4), 6-11 (5), 8-11 (1)
		tenía	6-01 (5), 6-06 (1), 8-11 (1)
		tenían	6-01 (1)
		tercer	8-01 (7), 8-12 (1)
		tercera	8-01 (4)
sostiene	2-05 (2), 5-08 (1)	terminando	5-10 (1)
soy	5-11 (11), 6-11 (19), 6-12 (4), 8-02 (2)	ternero	7-10 (6), 7-12 (4), 8-07 (1)

tienda   2-03 (1), 4-08 (2)

tiene   1-03 (8), 1-10 (4), 1-11 (4), 2-05 (4), 2-06 (2), 2-09 (3), 3-01 (19), 3-07 (10), 3-08 (6), 4-09 (1), 5-06 (2), 5-10 (1), 5-11 (2), 6-01 (5), 6-03 (34), 6-06 (2), 6-11 (1), 7-01 (1), 7-02 (6), 7-05 (3), 7-08 (6), 7-10 (2), 7-12 (3), 8-06 (1), 8-07 (12), 8-11 (1)

tienen   2-07 (2), 3-01 (1), 3-07 (5), 3-11 (1), 5-09 (1), 6-01 (1), 7-02 (8)

tierra   5-09 (2), 7-01 (2)

tigre   3-06 (4), 8-07 (1)

tipo   1-08 (4), 5-07 (19)

tipos   5-07 (10), 5-12 (3)

tirando   2-01 (6)

toalla   6-04 (1)

toallas   6-04 (3), 6-12 (1)

toca   6-10 (1), 6-12 (1)

tocado   6-07 (2)

tocando   2-05 (1), 2-09 (5), 2-11 (4), 4-01 (3), 4-06 (4), 4-08 (2), 4-11 (3), 5-08 (8), 6-05 (4), 6-06 (2), 8-02 (4), 8-11 (2), 8-12 (4)

todas   4-08 (1), 6-05 (1), 6-12 (1), 7-05 (5), 7-06 (1), 7-07 (2), 7-12 (1), 8-03 (2), 8-07 (2), 8-08 (1)

todos   4-08 (6), 6-05 (1), 7-06 (3), 7-07 (4), 7-11 (2), 7-12 (1), 8-02 (3), 8-03 (13), 8-07 (6), 8-12 (6)

tomando   4-08 (1)

tomar   7-10 (1)

tomate   6-04 (1)

tomates   1-08 (2), 1-11 (1), 3-02 (3), 6-04 (1), 7-02 (1)

toro   1-02 (1), 2-01 (2), 7-03 (1), 7-10 (2)

tortuga   3-06 (1)

tosiendo   5-10 (1)

trabajador   7-02 (2), 7-10 (1)

trabajando   3-08 (1), 6-11 (1), 7-01 (6)

tractor   2-07 (2), 8-05 (1)

traje   1-09 (2)

trajes   7-02 (2)

tranvía   4-09 (1)

través   4-09 (2), 7-03 (1)

trece   4-03 (1)

treinta   1-06 (1), 4-03 (2), 5-04 (6), 5-12 (2)

tren   4-09 (1), 7-09 (2), 8-05 (1), 8-09 (2), 8-10 (12)

trepando   3-06 (1)

tres   1-04 (18), 1-06 (5), 1-11 (2), 2-02 (3), 2-09 (2), 3-04 (3), 3-05 (1), 3-06 (1), 3-09 (2), 3-10 (2), 4-03 (1), 4-04 (1), 4-07 (2), 4-08 (1), 5-01 (9), 5-02 (1), 5-04 (5), 5-09 (4), 5-12 (3), 6-04 (1), 6-05 (2), 6-07 (2), 7-01 (1), 7-09 (2), 8-01 (6), 8-02 (2), 8-03 (1), 8-10 (7), 8-12 (2)

trescientos   5-04 (2), 7-09 (2)

triángulo   2-04 (4), 7-07 (2), 8-03 (5)

triángulos   7-07 (2), 8-03 (11), 8-12 (4)

triste   3-07 (1), 5-10 (3), 5-11 (1), 8-07 (1)

tristes   3-07 (1), 5-11 (1)

tú   5-11 (1)

tuvieron   4-09 (1)

tuvo   4-09 (2)

última   8-01 (2)

último   8-01 (11), 8-12 (3)

últimos   8-01 (3)

un   1-01 (45), 1-03 (4), 1-05 (11), 1-06 (9), 1-07 (2), 1-08 (11), 1-09 (16)…

una   1-01 (24), 1-03 (8), 1-05 (7), 1-06 (4), 1-08 (5), 1-09 (19), 1-10 (4)…

unas   1-05 (6), 1-08 (7), 3-02 (2), 3-05 (1), 4-09 (1), 5-09 (2), 6-04 (1), 6-09 (3), 7-08 (2), 7-09 (9)

uniforme   6-03 (2)

uniformes   6-03 (2), 7-02 (2)

universidad   8-09 (2), 8-10 (8), 8-12 (8)

uno   1-04 (11), 1-06 (1), 1-11 (1), 2-03 (2), 2-08 (1), 4-03 (1), 5-01 (6), 5-09 (4), 5-10 (2), 7-05 (3), 7-09 (2), 7-12 (1), 8-01 (5), 8-03 (3), 8-08 (5), 8-12 (2)

unos   1-05 (11), 1-08 (1), 1-09 (5), 3-02 (1), 3-03 (1), 5-09 (1), 6-09 (1), 7-09 (1)

usando   2-06 (4), 2-11 (3), 4-10 (2), 5-03 (3), 5-12 (3), 7-09 (1), 7-10 (10), 7-12 (2)

usar   4-10 (2), 5-03 (1), 5-12 (1), 7-10 (1), 7-12 (1)

usualmente   7-02 (3)

uva   6-09 (1)

uvas   1-08 (1), 5-07 (2), 6-04 (2), 6-09 (3)

va   2-10 (9), 2-11 (1), 4-06 (1), 5-03 (9), 5-10 (1), 5-12 (1), 6-02 (14), 6-06 (1), 6-07 (1), 6-08 (6), 6-12 (3), 7-01

	(6), 7-10 (2), 7-11 (1), 7-12 (2), 8-05 (3), 8-07 (1), 8-12 (3)	vestido	1-09 (3), 1-11 (3), 3-03 (5), 4-08 (4), 5-08 (2), 5-12 (1), 6-08 (3), 8-06 (1), 8-11 (3)
vaca	7-01 (2), 7-06 (1), 8-06 (1), 8-12 (1)	vestidos	6-03 (2), 6-12 (2), 7-02 (2), 8-06 (1)
vacas	2-05 (1), 3-06 (5), 7-06 (1), 7-09 (2), 8-08 (2)	vestir	5-08 (2)
vacía	6-04 (6), 6-12 (2), 7-08 (2), 7-10 (2), 8-05 (2)	vía	8-05 (1)
		vías	8-05 (2)
vacías	7-09 (1)	vidrio	6-04 (2)
vacío	4-08 (1), 7-08 (5)	vieja	1-03 (5), 1-10 (1)
vamos	7-11 (1), 7-12 (1), 8-11 (1)	viejo	1-03 (4), 1-07 (9), 1-11 (5), 6-03 (1)
van	2-10 (1), 2-11 (1), 5-03 (2), 6-02 (3), 6-08 (2), 7-11 (1)	viendo	4-06 (6)
		Vietnam	8-04 (1)
vaquero	2-10 (2), 3-02 (4), 4-08 (1), 5-03 (1), 7-01 (1), 7-10 (8), 7-12 (4)	viniendo	4-05 (3)
		violetas	5-06 (1)
vaqueros	3-02 (1), 5-08 (1), 8-08 (2)	violín	4-01 (2)
varias	6-10 (3)	violines	5-08 (1)
varios	3-02 (1), 5-07 (2), 8-03 (2)	vistiendo	5-08 (2), 5-12 (2), 6-05 (2), 8-02 (2)
vasija	2-08 (3)	volador	5-03 (2), 6-01 (2), 6-06 (2), 7-10 (3)
vasijas	2-08 (1)	volando	1-02 (2), 1-05 (2), 1-10 (4), 2-01 (2),
vaso	2-05 (1), 2-09 (2), 5-05 (4), 5-09 (6), 5-12 (4), 7-01 (1), 7-08 (20)		2-06 (2), 3-06 (1), 5-03 (2), 7-01 (4), 7-02 (2), 7-09 (4), 7-12 (6), 8-07 (5), 8-08 (2), 8-12 (4)
vasos	5-09 (1)	volar	7-01 (2)
vaya	8-10 (12), 8-12 (4)	voy	7-11 (11), 8-11 (4)
ve	7-04 (1)	vuelan	7-02 (2), 7-12 (2)
veinte	1-06 (1), 3-10 (1), 4-03 (2), 5-01 (3)	vuelta	8-09 (5), 8-10 (4)
veinticinco	5-04 (6)	y	1-01 (11), 1-02 (2), 1-04 (7), 1-06
veintidós	4-03 (1), 6-07 (1)		(2), 1-08 (3), 1-09 (14), 1-10 (1)…
veintiséis	5-04 (1)	ya	6-05 (8), 6-06 (1), 8-02 (7)
veintisiete	5-04 (1)	yendo	4-05 (3), 7-03 (5)
veintitrés	6-07 (1)	yo	5-11 (17), 5-12 (1), 6-11 (19), 6-12
vela	5-06 (2)		(3), 7-11 (14), 8-02 (6), 8-11 (15),
velas	4-09 (1), 5-09 (1), 6-09 (2)		8-12 (4)
vemos	7-09 (2)	zanahoria	1-08 (1), 1-10 (2)
venados	2-05 (1)	zanja	8-05 (2)
vende	7-02 (4)	zapatería	8-09 (1), 8-10 (2)
Venezuela	8-04 (1)	zapato	1-09 (1), 3-03 (2), 5-10 (1), 5-12 (1)
ventana	1-06 (1), 2-05 (2), 7-07 (2), 7-10 (2)	zapatos	1-09 (3), 3-03 (1), 6-04 (1)
ventanas	1-06 (3)	zarcillo	6-03 (2)
verano	5-06 (1), 7-04 (6), 7-12 (2)		
verdad	3-09 (7), 3-11 (2), 8-06 (2)		
verde	1-07 (2), 1-11 (2), 2-04 (7), 3-05 (3), 7-04 (1), 7-05 (1), 7-07 (2), 7-12 (1), 8-03 (1)		
verdes	1-08 (2), 5-09 (2), 7-04 (4), 7-05 (1), 7-12 (1), 8-03 (3), 8-12 (2)		
vestida	4-08 (1), 5-08 (1), 5-12 (1), 6-03 (2), 6-12 (2)		
vestidas	4-08 (1), 5-08 (4), 7-07 (2)		

Notas

Notas

Notas

Notas

Notas

Notas

Notas